Bianca

D0912568

LA FRUTA PROHIBIDA
Carol Marinelli

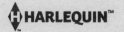

Editado por Harlequin Ibérica.
Una división de HarperCollins Ibérica, S.A.
Núñez de Balboa, 56
28001 Madrid

© 2019 Carol Marinelli
© 2020 Harlequin Ibérica, una división de HarperCollins Ibérica, S.A.
La fruta prohibida, n.º 2760 - 19.2.20
Título original: The Sicilian's Surprise Love-Child
Publicada originalmente por Harlequin Enterprises, Ltd.

I.S.B.N.: 978-84-1328-780-5
Depósito legal: M-38643-2019
Impreso en España por: BLACK PRINT
Fecha impresion para Argentina: 17.8.20
Distribuidor exclusivo para España: LOGISTA
Distribuidor para México: Distibuidora Intermex, S.A. de C.V.
Distribuidores para Argentina: Interior, DGP, S.A. Alvarado 2118.
Cap. Fed./Buenos Aires y Gran Buenos Aires, VACCARO HNOS.

MIXTO
Papel procedente de
fuentes responsables
FSC® C108412

Capítulo 1

SEÑOR Caruso, Aurora va a acompañarme a lo largo del día de hoy, para que pueda enseñarle todo lo que necesita saber –anunció Marianna, entrando en el despacho, seguida de una joven.

Nico levantó la vista de la pantalla de su ordenador para mirarlas y frunció el ceño.

–Aurora Messina, del nuevo hotel de Sicilia –añadió Marianna, como suponiendo, por el gesto, que no sabía quién era.

Pero lo sabía muy bien… Aurora Eloise Messina, de veinticuatro años, seis menos que él, con esos bellos ojos negros y ese cabello que, si bien no podía decirse que fuera de color azabache, era demasiado oscuro como para llamarlo «castaño»…

–¿Es que no te acuerdas de mí, Nico? –inquirió ella en un tono burlón.

Traía consigo el aroma de Sicilia. Debía haber recogido esa mañana del tendedero el vestido de croché blanco que llevaba, porque olía a sol, a la brisa del océano, y también a jazmín, como el jardín de casa de sus padres.

–Eso demuestra lo desagradecido que eres… –continuó picándolo Aurora–. ¡Después de todas las veces que has dormido en mi cama!

Aquella insinuación arrancó un gemido de sorpresa de Marianna, pero Nico ni se inmutó antes de responderle con aspereza:

–Solo que jamás la compartí contigo.

–Cierto… –admitió Aurora, con una sonrisa.

Se había propuesto mantenerse imperturbable en presencia de Nico, pero le estaba costando. No estaba abrumada por la impresionante vista de Roma que se veía a través del inmenso ventanal detrás de él, ni por el lujoso despacho. Lo que la tenía abrumada era Nico, que estaba demasiado guapo para ser un lunes por la mañana.

Llevaba el cabello negro con un corte impecable, y la recia mandíbula, con ese característico hoyuelo en el centro, estaba tan bien afeitada que estaba impaciente por saludarlo con un par de besos en la mejillas, como era costumbre en su tierra.

Sin embargo, cuando rodeó el escritorio para hacerlo y Nico levantó una mano para detenerla, dio un paso atrás, aturdida. El rechazo de Nico le había dolido, pero hizo un esfuerzo para que no se le notara.

–Siéntate –le dijo Nico, antes de volverse hacia su secretaria–. Empecemos, Marianna. Tenemos mucho por hacer.

–Espera un momento. Antes de nada… –intervino Aurora. Y en vez de sentarse, como le había dicho, se descolgó del hombro el bolso y sacó de él un bote de salsa de tomate que plantó sobre su reluciente escritorio de madera de nogal–. *Passatta* casera de mi madre –anunció–. Y *limoncello* hecho por mi padre –añadió, sacando también una botella de licor de limón.

Nico miró a Marianna, que trataba de disimular lo anonadada que estaba.

–No quiero nada de eso –le dijo a Aurora, con un ademán desdeñoso–. Vuelve a guardar esas cosas.

–¡No! –exclamó ella, ofendida.

Se suponía que como buen siciliano debía darle las gracias, diciéndole cuánto añoraba la salsa de tomate casera. Claro que Nico nunca había sido de los que seguían las costumbres… Si así fuera, ahora ella sería su esposa. «Aurora Eloise Caruso»… En su adolescencia lo había escrito en su diario infinidad de veces y lo había leído en voz alta, para ver cómo sonaba.

–Sabes muy bien que mis padres no me habrían dejado venir a verte sin traerte regalos –le espetó, esforzándose por contener la ira que estaba apoderándose de ella.

–Estás aquí por trabajo, no de visita –replicó Nico–. Vas a estar cinco días aquí para recibir formación. Y ahora quita esas cosas de mi mesa.

Sabía que estaba siendo un poco duro con ella, pero tenía que establecer unas pautas. Y no solo con Aurora, sino con todo el contingente de Silibri, la localidad siciliana en la que se había criado y en la que había construido su nuevo hotel. Había reclutado a varios vecinos del pueblo para que trabajaran en él. Habían ido todos a Roma para recibir la formación necesaria y aunque no llevaban allí ni veinticuatro horas ya lo tenían más que harto.

Francesca, que iba a ser la gerente regional, le había traído un salami y se lo había dejado en recepción. ¿Es que pensaba que no vendían salami en Roma? Y Pino, que iba a ser el conserje, había conseguido, no sabía cómo, su número de móvil y lo había llamado el día anterior, a su llegada, para preguntarle por un buen restaurante donde pudieran ir a cenar y si quería acompañarlos. Había declinado la invitación, lógicamente.

–Quita esas cosas de mi mesa, Aurora –repitió en tono de advertencia.

–Pero es que yo no las quiero –replicó ella, sacudiendo la cabeza–. Tengo que comprar unos zapatos y necesito dejar espacio en mi maleta. A menos… –añadió con los ojos entornados– que no se me permita ir de compras fuera de mi horario de trabajo.

–Cuando no estés trabajando, Aurora, me da igual lo que hagas con tu tiempo. Y ahora… ¿podemos deshacernos de esto y ponernos a trabajar? –dijo Nico, señalando con un ademán impaciente la botella de *limoncello* y el bote de *passatta*–. Ya vamos con retraso…

–Me los llevaré yo –dijo Marianna–. E iré por las muestras de tela para la reunión.

–¿Qué muestras de tela? –inquirió Nico.

–Hay que tomar una decisión sobre los uniformes para el hotel de Silibri.

–¿Qué pasa con los uniformes? –Nico inspiró profundamente e intentó reprimir su irritación.

¿Desde cuándo tenía que ocuparse él de nimiedades como los uniformes de los empleados?

–No les gusta el color –dijo Marianna.

–¡Pero si es el mismo en todos nuestros hoteles…! Es lo lógico; quiero que…

No terminó la frase. Mejor dejarlo para la reunión. Le indicó con un movimiento de cabeza a Marianna que recogiera los presentes de los padres de Aurora. La secretaria obedeció y salió del despacho, pero para su sorpresa Aurora no la siguió, sino que se sentó.

–¿No se supone que tienes que acompañar a Marianna? –le preguntó.

Aurora, que advirtió la nota de irritación en su voz, se apresuró a responderle:

–Es que… quería disculparme. He sido un poco indiscreta con esa broma sobre las veces que te quedabas a dormir en nuestra casa.

Nada más decir eso, Aurora contrajo el rostro. Tampoco era un tema sobre el que bromear. Cuando eran niños, más de una vez, su padre lo había encontrado dormido en un banco del parque al caer la noche, tras una de las frecuentes palizas de su padre, y se lo había llevado a casa. Lo acostaban en su cuarto, y ella dormía en una camita improvisada a los pies de la cama de sus padres.

–Disculpa aceptada –dijo Nico, antes de bajar de nuevo la vista a la pantalla del ordenador.

Sin embargo, se notaba que seguía enfadado.

–De todos modos, tampoco puede decirse que llegáramos a compartir la cama –continuó Aurora en un tono juguetón, dándole unos golpecitos en la rodilla, por debajo de la mesa, con la punta del pie–. ¡Si me robaste la virginidad en el sofá!

Cuando la agarró por el tobillo para que parase, a Aurora se le cortó el aliento. Deseó fervientemente que su mano subiera hacia el muslo, pero lo que hizo Nico fue reprenderla.

–No te la robé –le recordó, soltándole el tobillo–. Fuiste tú quien te entregaste a mí. De hecho, me suplicaste. Aunque de eso ya ni me acuerdo –concluyó, volviendo a bajar la vista a la pantalla.

«Mentiroso», le recriminó su conciencia. Para él el

sexo se había convertido en un asunto escrupulosamente controlado, algo que siempre ocurría en la suite de un hotel; jamás en su casa. Nada comparable al sexo sudoroso y ardiente que había compartido con Aurora en esa ocasión; nada podría llegar a comparársele.

—Solo pasó una vez, y de eso hace mucho tiempo —añadió.

—Cuatro años —le recordó ella.

No alzó la vista cuando Aurora se levantó y fue hasta el ventanal. Sabía que la había tratado de un modo detestable, y se sentía culpable. Sus familias habían dado por hecho que iban a casarse, aunque por supuesto a ninguno de los dos les habían pedido su opinión. De hecho, al morir la abuela de Aurora, su padre había heredado la casa y les había dicho que se la dejaría para que vivieran en ella cuando se casaran.

A Nico no se le antojaba nada peor que quedarse en aquel maldito pueblo, viviendo enfrente de sus suegros, y trabajando todo el día en los viñedos. Aurora se lo había tomado bien cuando le había dicho que jamás se casarían. Se había reído y le había contestado algo como «¡Gracias a Dios!». Los ojos le brillaban, pero Nico se había dicho que era por el sol, no porque se le hubiesen saltado las lágrimas. Por aquel entonces Aurora no había sido más que una chica flacucha de dieciséis años, y no había vuelto a verla hasta unos años después.

Pero cuando había vuelto a verla… Giró la cabeza hacia Aurora, que estaba de pie, admirando la vista del Vaticano a través del cristal. Se había convertido en una mujer de curvas voluptuosas. El escote del vestido estaba cerrado con dos cordoncillos de cuero que se entrecruzaban y los extremos estaban anudados con un lazo. Se moría por deshacer ese lazo, por dejar al descubierto sus pechos, por sentarla en su regazo para besarla y...

Bajó la vista, pero sus ojos se posaron entonces en las piernas de Aurora, largas y torneadas. No había olvidado el momento en que esas mismas piernas habían rodeado sus caderas. Aurora era auténtico fuego, y no podía dejar que la mecha volviera a prenderse. Lo que ansiaba era que hubiera orden en su vida...

Al notar que estaba mirándola, Aurora sintió un cosquilleo en el estómago, y una ola de calor afloró entre sus piernas.

—Me gusta Roma —comentó, probando con un tema de conversación menos personal—. Pero cuando de verdad me gusta es en las primeras horas del día, cuando no hay casi gente ni coches por la calle. Esta mañana salí a explorar un poco, y me sentía como si tuviera toda la ciudad para mí —añadió—. Esta noche nos vamos todos a hacer un tour en autobús por la ciudad y... —se quedó callada, al darse cuenta de lo provinciana que debía parecerle diciendo eso—. ¿Estás ilusionado con la apertura del nuevo hotel? —le preguntó.

—Estoy deseando que pase.

Se alegraría cuando estuviera funcionando, cuando por fin pudiera desentenderse. Fue un alivio ver reaparecer a Marianna para repasar con él su agenda del día, aunque fuera con Aurora presente. Iba a tener una reunión con el personal del hotel de Silibri en quince minutos, y después tendría todo el día ocupado con otros asuntos.

–Mañana a las siete tienes un desayuno de trabajo, y el helicóptero estará esperándote a las nueve –leyó Marianna en voz alta.

–¿Podemos pasar a mi agenda en Silibri? –la interrumpió Nico con impaciencia–. Quiero ir a ver al médico de mi padre tan pronto como llegue.

–¿Te vas a Silibri? –repitió Aurora parpadeando–. ¿Cuando todos acabamos de llegar?

–Por enésima vez… –dijo Nico con un suspiro–: Habéis venido aquí para recibir formación.

Miró a Marianna, y sintió una profunda gratitud hacia ella cuando intervino.

–El señor Caruso y yo repasamos su agenda todas las mañanas –le dijo a Aurora–. Esto no es una reunión, ni una discusión; hacemos esto para asegurarnos de que las fechas y las horas son las correctas.

–Lo entiendo –murmuró Aurora.

Cuando hubieron terminado de repasar su apretadísima agenda para toda la semana, salieron del despacho para ir a la sala de reuniones. Al llegar ya estaba allí esperándolo el contingente de Silibri, y todos lo saludaron efusivamente. Demasiado efusivamente. Y había más regalos sobre la mesa: entre otras cosas unos *biscotti* caseros que había traído Francesca para acompañar el café que uno de ellos estaba sirviendo.

Vincenzo, su gerente de marketing, estaba sentado con la espalda rígida, visiblemente aturdido por el ambiente festivo de la reunión. Se pasó una mano por el cabello pelirrojo y le lanzó una mirada de espanto.

–Bien, empecemos –dijo Nico.

Vincenzo habló del entusiasmo que el hotel había

generado en la zona, y dijo que había previstas unas cuantas entrevistas en medios nacionales, en programas de televisión de turismo, matinales y demás.

–Yo me haré cargo de esas entrevistas –añadió.

–Puedes dividírtelas con Aurora –intervino Nico.

Aurora iba a ser la gerente auxiliar de marketing. Conocía bien el lugar y tenía buenas ideas.

–Pero es que yo sé cómo tratar con los medios –apuntó Vincenzo–. Aurora puede resultar un poco… agresiva, y lo que queremos es ofrecer una imagen amable, que invite a venir a nuestro hotel.

–Vincenzo, no era una sugerencia: os dividiréis las entrevistas entre los dos –le aclaró Nico.

–Vamos con el siguiente punto de la reunión –dijo, con un asentimiento de cabeza dirigido a Francesca.

–Se han retrasado las pruebas de los uniformes –le informó esta–. Al personal no le gusta el color.

–Ni la tela… –intervino Aurora–. La lana es demasiado pesada, y el verde nos haría parecer la cuadrilla de Robin Hood.

Nico contuvo a duras penas una sonrisa. Vincenzo carraspeó y dijo:

–Pensamos que los uniformes deberían tener un toque más informal.

–Es un hotel de cinco estrellas –replicó Nico, sacudiendo la cabeza–. No quiero que mis empleados tengan un aire descuidado.

–Por supuesto que no –asintió Vincenzo–, pero hay un lino azul oscuro que quedaría espectacular con una camisa blanca de…

–Pareceríamos marineros –protestó Aurora con un mohín.

Nico se apretó el puente de la nariz con el índice y pulgar. ¿Cómo se le había ocurrido construir un hotel en Silibri? Debería haber vendido las tierras...

—¿Y qué tal en verde, como el uniforme de los otros hoteles de la cadena, pero en lino? —sugirió Francesca.

Aurora sacudió la cabeza.

—Seguiríamos pareciendo la cuadrilla de Robin Hood.

—¿Y qué sugieres tú, Aurora? —le espetó Nico, arrojando su bolígrafo sobre la mesa, exasperado.

Pero, por supuesto, Aurora ya tenía la respuesta:

—Naranja persa.

De su bolso sacó varias muestras de tela y se las pasó al resto. Era una mezcla de lino que no se arrugaba, les aseguró.

—El naranja es un color llamativo —objetó Vincenzo—. Quizá demasiado llamativo, ¿no?

—Este naranja no. De hecho, es bastante discreto —replicó Aurora. Ladeó la cabeza y miró a Vincenzo pensativa—. ¿Te preocupa que choque con tu pelo?

—Por supuesto que no —replicó Vincenzo azorado, pasándose la mano por el cabello pelirrojo.

—Porque, si es por eso —continuó Aurora—, podríamos tener uniformes en distintos tonos de naranja persa para cada escalafón del personal.

—¿Para cada... escalafón? —repitió Vincenzo, como sopesándolo.

Por su expresión, Nico supo que ya no le disgustaba tanto la idea, y vio que una sonrisilla de satisfacción afloraba a los labios de Aurora. Vincenzo lo llevaba claro si pensaba que iba a mandar sobre ella, a pesar de ser su superior. Aurora era como una fuerza de la naturaleza a la que no se podía contener.

–Lo pensaré –dijo Nico.

–¿Pero qué hay que pensar? –exclamó Aurora–. ¡Si es perfecto…!

–Hay mucho que pensar –insistió Nico–. Vamos con lo siguiente.

Se había previsto que la reunión durara unos treinta minutos, pero acabó siendo de más de una hora. Cuando todos los demás habían salido y Nico se disponía a cruzar la puerta, Aurora le cortó el paso.

–Me preguntaba si podríamos hablar un momento; se me ha ocurrido una idea.

–Todo lo que había que decir ya se ha dicho en la reunión –replicó él.

–Es que creo que puede ser una idea estupenda.

–Pues háblalo con Vincenzo, que es el gerente. Yo no suelo tratar con el personal auxiliar. Mira, Aurora, quiero dejarte una cosa bien clara. Vas a estar aquí una semana para recibir formación laboral y enterarte de cómo me gusta que se hagan las cosas en mi hotel. No estás aquí para hacer sugerencias, charlar conmigo y tomarnos una copa mientras nos ponemos al día. ¿Y no se supone que deberías estar con Marianna?

–Bueno, sí, pero…

–¿Y entonces qué haces ahí, plantada en mi camino?

Capítulo 2

MALDITO Nico! ¿Podría haberle dejado más claro que no la quería cerca de él? No podría haber sido más desagradable con ella aunque lo hubiera intentado. Mientras se alejaba, pensó en cómo le gustaría deshacerse de sus sentimientos por él, pisotearlos y lanzarlos lo más lejos posible de un puntapié. Aquel amor no correspondido la tenía harta y agotada.

–¡Aurora! –la llamó Marianna, apareciendo a su lado–. Tenemos que hablar. O, más bien, tienes que escucharme.

–Ya sé lo que vas a decirme –murmuró Aurora.

Pero Marianna se lo dijo de todos modos: que o se comportaba con un poco más de decoro y se mostraba menos impertinente, o no dejaría que la acompañase durante el resto de la jornada mientras cumplía con sus tareas.

Aunque Aurora entendía por qué le molestaba su actitud, no sabía cómo encajar en el molde en el que se esperaba que encajara, ni cómo podría dejar de ser ella misma cuando estaba cerca de Nico.

De niña, cuando Nico iba a su casa y ella le abría la puerta, lo saludaba con un «¡hola, marido!» para picarlo. Él sacudía la cabeza y ponía los ojos en blanco, desdeñando a aquella chiquilla precoz que buscaba constantemente su sonrisa y su atención.

Nico contestaba con un «tu padre me ha dicho que quiere que le corte leña», o algo así. Y aunque la ignoraba, se sentaba a verlo cortar la leña, y se le encogía el corazón cuando Nico se quitaba la camisa y veía un nuevo moretón o un nuevo corte en su espalda. ¿Cómo podía hacerle eso su padre?

Alguna vez, mientras cumplía con la tarea encomendada, Nico alzaba la vista y no la miraba irritado, sino que le regalaba una sonrisa, y eso la hacía muy feliz. De hecho, Nico no le había roto el corazón cuando se había ido de Silibri la primera vez, entonces ella solo tenía diez años, aunque durante un tiempo había llorado cada noche antes de quedarse dormida.

No, cuando le había roto el corazón había sido durante una de las raras visitas que les había hecho después de marcharse, cuando ella tenía dieciséis años. Estaba como loca solo porque Nico estaba allí. Esa tarde había estado charlando con su padre a puerta cerrada en el estudio. Ella había dado por hecho que estarían bebiendo el aguardiente de orujo que su padre había estado guardando para aquella ocasión.

Al cabo, Nico había salido y le había preguntado si quería dar un paseo con él. Ella le había pedido cinco minutos para ir al baño antes de irse, y allí se había limado un poco las uñas para que su mano estuviese más bonita cuando le pusiese el anillo. Hasta se había lavado los dientes para que el aliento le oliese a fresco cuando le diese su primer beso.

Habían bajado la colina y rodeado el viejo monasterio, pero en vez de dirigirse a las ruinas del antiguo

templo, su lugar favorito, Nico le había propuesto que
bajaran a la playa por la escalera esculpida en el acan-
tilado.

—Tu padre y el mío están algo anticuados —había
dicho Nico mientras caminaban por la playa desierta.

—¡Ya lo creo! —había exclamado Aurora nerviosa.

—Siempre intentando tomar decisiones por nosotros… —había añadido Nico.

Al oírle decir aquello había tenido la impresión de
que quizá aquella no fuera a ser la conversación que
tanto tiempo llevaba esperando.

—Sí, es verdad —había asentido con cautela.

—Mira, yo hace mucho que me negué a seguir dejando que mi padre me dijera lo que tengo que hacer
—le había confesado Nico.

—Sé que es un hombre difícil, y que lo detestas,
pero…

—Aurora —la había interrumpido él—, no me veo
casándome. No quiero formar una familia. Quiero ser
libre…

Aquel había sido el peor momento de su vida.

—¡Aurora!

La voz de Marianna irrumpió en esos recuerdos
dolorosos.

—¿Has escuchado siquiera lo que te he dicho?

—Pues claro —contestó Aurora. La verdad era que
no, pero podía imaginarse que sería más de lo
mismo. Inspiró profundamente y le dijo—: No te preocupes, te prometo que no volveré a portarme como
una idiota.

Iba a olvidarse de Nico Caruso de una vez por
todas. Durante ocho años lo había amado en se-

creto, ¡un tercio de su vida!, y ya estaba bien. Había llegado el momento de poner fin a sus ridículas fantasías románticas. Si volvía a cruzarse con él actuaría con calma y se mostraría distante y profesional.

—Bueno, no pretendía que te lo tomaras así... —murmuró Marianna, esbozando por primera vez una sonrisa amable—. Nico es un jefe estupendo, pero para él solo somos empleados. Intenta recordar eso y todo irá bien.

—Lo haré.

—Bien. Vamos; el chófer está esperando.

—¿El chófer?

—Va a llevarnos a casa de Nico; tengo que hacerle la maleta, porque como sabes se va de viaje mañana.

Aurora estaba deseando que el día acabase, irse a su habitación en el hotel, tirarse en la cama, llorar... y a la mañana siguiente despertar sintiéndose más fuerte para avanzar hacia un futuro sin Nico en él. Pero en vez de eso tenían que ir precisamente a casa de Nico...

Era tan bonita como había imaginado que sería, por supuesto. Nico vivía en el barrio Parioli, y su casa estaba a un breve trayecto en coche del hotel. Era elegante, y a cada paso que daban sus tacones repiqueteaban en los suelos de mármol. Había una cocina enorme e inmaculada, en uno de cuyos armarios medio vacíos Marianna dejó la botella de *limoncello* y el bote de *passatta*. Luego regresaron al corredor principal, con su altísimo techo, y llegaron a una escalera monumental que Aurora subió con cierta reticencia. Visitar el dormitorio de Nico no le parecía la mejor manera de olvidarse de él.

Tenía un balcón con puertas cristaleras que se asomaba al parque Villa Borghese y una cama de matrimonio con una colcha blanca y cojines oscuros. La intimidaba un poco estar en el dormitorio de Nico, aunque era evidente que Marianna estaba más que acostumbrada a entrar allí, porque de inmediato sacó una maleta de un armario y se puso a seleccionar trajes y camisas.

—Aurora, ¿podrías ocuparte de la ropa interior?

Genial… Aquello era una tortura, una auténtica tortura, pensó Aurora mientras abría uno de los cajones que le había indicado Marianna. Una vez, años atrás, había deslizado su mano dentro de unos boxers negros como aquellos que tenía delante, y había palpado su… Sacudió la cabeza. Tenía que mantener la promesa que le había hecho a Aurora y centrarse.

—¿Metemos esto en la maleta también? —le preguntó a Marianna, enseñándole un pantalón de pijama en algodón negro que encontró en el mismo cajón.

Para su sorpresa, Marianna se rio.

—No, se los compré por si tiene que ingresar en el hospital por una operación, o algo así.

—Ah.

—Cuando trabajas como secretaria tienes que pensar en todas las eventualidades que pueden ocurrir.

Cierto, pensó Aurora. Solo que ella no quería ser secretaria.

—Marianna, ¿por qué estoy haciendo esto? No es que no quiera acompañarte, pero pensaba que se ocuparía de mi formación el equipo de marketing.

Marianna dejó sobre la cama el traje que estaba doblando antes de contestarle.

–Bueno, no siempre acompaño a Nico en sus viajes, y como supuestamente va a pasar bastante tiempo en Silibri hasta que el hotel esté funcionando a toda máquina, pensé que sería prudente enseñar a alguien las cosas de las que me encargo, para cuando esté allí. Tengo un empleado que hace «de enlace» en cada hotel, y cuando hablé con Francesca me sugirió que mi enlace en el hotel de Silibri fueras tú.

–¿Y Nico está al tanto de esto?

–No, solo lo he hablado con Francesca. No iba a molestar a Nico con estas menudencias cuando además me parecía perfectamente viable que te encargaras tú y…

Por la leve sonrisa con que dejó la frase en el aire, Aurora tuvo la impresión de que estaba empezando a tener dudas al respecto. Ella también las tenía. Difícilmente iba a lograr deshacerse de sus sentimientos hacia Nico si tenía que trabajar codo a codo con él… Eso no haría sino avivar la llama. Por eso, hizo lo más valiente que podía hacer:

–Me siento halagada de que quieras confiarme esa responsabilidad, pero… no –le dijo sacudiendo la cabeza–. No creo que pueda hacerlo.

Esa noche, cuando volviera al hotel, lloraría en la soledad de su habitación una última vez. No iría al tour por la ciudad en autobús con los demás. Además, estaba un poco cansada del grupo. Se veían todos los días y todos eran mucho mayores que ella.

No, esa noche recordaría con vergüenza su comportamiento de esa mañana con Nico, se desahogaría llorando todo lo que tuviese que llorar y luego… Luego tendría que pasar página. Empezar a flirtear con otros hombres, a tener citas, a comportarse como cualquier otra joven soltera de veinticuatro años en Roma. ¡Quizá incluso se descargase la app de citas de la que Chi-Chi y Antonietta le habían hablado! «¡Al diablo contigo, Nico Caruso! Quiero estar con un hombre que me quiera. Se acabó estar bajo tu sombra…».

—¿Dónde está Aurora? —le preguntó Nico a Marianna unas horas después.

—Con el equipo de marketing —contestó ella. Pero al mirar el reloj de la pared añadió—: Aunque a esta hora probablemente ya se habrán ido todos a ese tour en autobús.

Nico puso los ojos en blanco, aunque no con malicia. Más que nada lo divertía que Pino lo hubiese llamado otra vez para unirse a ellos. Y por supuesto había vuelto a declinar la invitación.

—¿Sabes?, nunca había conocido a un grupo de gente tan entusiasta —comentó Marianna—. Con toda esa energía y esa alegría que tienen… estoy segura de que el nuevo hotel va a ir muy bien.

—Si te gusta el naranja persa… —murmuró Nico, empujando hacia ella el pedido para los uniformes que acababa de firmar.

¡Naranja persa! En tonos tofe y caramelo para aquellos a los que no les sentase bien, por supuesto. Le dolía la cabeza de todas las muestras de las distintas tonalidades que había estado mirando.

—Por cierto, ¿por qué ha estado acompañándote Aurora hoy? Se supone que va a trabajar en el departamento de marketing…

–Cierto –asintió Marianna–, pero había pensado que… como tú vas a pasar mucho tiempo en Silibri…

–Solo hasta que el hotel ya esté a pleno rendimiento.

–Ya, pero siempre estás entre un hotel y otro, supervisándolos, y en cada uno tengo a alguien que me hace de enlace: Teresa en el de Florencia, Amelie en el de Francia… El caso es que Francesca había pensado que Aurora sería la persona idónea para…

–No –la cortó Nico. Lo había dicho en un tono tan abrupto y con tanta vehemencia, que se vio obligado a añadir a modo de explicación–: Es que… bueno, estoy seguro de que Aurora hará muy bien su trabajo en el departamento de marketing, pero no creo que sea una buena idea que…

–No pasa nada –lo interrumpió Marianna–. Aurora me ha dicho lo mismo.

–¿Ah, sí?

¿Por qué el oír eso no lo había aliviado?, ¿por qué se había sentido como si le hubiesen pegado un puñetazo en el estómago? ¿Y por qué lo hacía sentir tan incómodo la idea de trabajar codo con codo con Aurora? Agarró su chaqueta y bajó en el ascensor para irse a casa. No le hacía falta ahondar mucho para encontrar la respuesta: era porque se conocían demasiado bien, y por todo lo que había ocurrido entre ellos.

Capítulo 3

*Las horas previas a esa noche, cuatro años atrás,
que ninguno de los dos podía olvidar…*

—Puedes decirle a Nico que no pienso abandonar
mi hogar.

El oír al padre de Nico pronunciar el nombre de su
hijo hizo que a Aurora el corazón le diese un brinco y
se le encogiese al mismo tiempo. Era algo que le ocurría a menudo, porque allí, en Silibri, el nombre de
Nico Caruso se mencionaba con frecuencia.

Decidida a no dejarle entrever cómo se sentía, le
espetó en un tono despreocupado mientras ahuecaba
los almohadones que el anciano tenía detrás:

—¿Qué te hace pensar que tengo línea directa con
tu hijo, Geo? Hace siglos que no hablo con él.

—Va a mandar su helicóptero a por mí, para llevarme a Roma.

Aurora dejó lo que estaba haciendo. A veces Geo,
a su edad, se mostraba un poco confundido. Por ejemplo, hacía unas semanas había pasado por allí para
dejarle la compra, y Geo le había dicho que acababa
de marcharse María. Ese era el nombre de su esposa,
el nombre de la madre de Nico… que había muerto
hacía ya casi veinte años, al poco de nacer ella. Tam-

bién era un cuentista y decía unas cosas que no se creía nadie, pero aquello era demasiado absurdo hasta para él.

—¿Quién te ha dicho eso? —le preguntó irguiéndose.

—El médico.

—¿Ah, sí? ¿El mismo médico que te dijo que beber te mataría? —inquirió Aurora.

Geo esbozó una sonrisa culpable.

—¿El mismo médico que dijo que ya no podías valerte por ti mismo, y que deberías irte a vivir a una residencia de ancianos? —añadió ella—. Porque, si no recuerdo mal, decías que a ese médico no se le podía tomar en serio, que no decía más que sandeces.

—Quizá —concedió Geo—, pero esta vez dice la verdad: Nico va a mandar un helicóptero para recogerme.

Hacía más de una semana que varios incendios descontrolados estaban devorando la costa sur de Sicilia y avanzaban hacia su pequeño pueblo. Les habían dicho que tenían que ser evacuados, pero, al igual que Geo, su padre se había negado a marcharse.

No dudaba que Nico quisiera alejar a su padre del peligro, pero que Geo pretendiera hacerle creer que su hijo tenía un helicóptero privado era demasiado, ¡por muy bien que le fuera desde que se había marchado! Los cuentos que contaba Geo eran cada vez más exagerados. La semana pasada le había dicho que Nico poseía tres hoteles en Europa, y cuando ella se había negado a creerle, Geo se había limitado a corregirse: no eran tres, ¡sino cuatro!

—¡Me robó! —exclamó Geo, y maldijo entre dientes—. Me quitó lo que era mío.

—Las cosas que dices no te las crees ni tú, Geo —le dijo Aurora con suavidad.

–No pienso dejar que me lleve a una residencia en Roma. Le odio. ¿Por qué querría vivir cerca de él?

Aurora sabía que padre e hijo no se llevaban bien, pero, a pesar de que detestaba el modo en que Geo había tratado a Nico, no podía pasar por delante de su casa y no entrar a verlo. Si Nico se quedaba un poco más tranquilo sabiendo que su padre estaba bien cuidado, no le importaba hacer el esfuerzo.

–¿Necesitas alguna cosa? –le preguntó al anciano.

–Saca dinero del cajón de mi mesilla y ve a la tienda.

–No pienso comprarte whisky, Geo –le advirtió ella.

–¿Por qué no? ¡Todos moriremos cuando lleguen aquí las llamas!

Aurora sonrió con picardía.

–Precisamente por eso: es mejor que estés sobrio cuando te reúnas con Dios.

–¡Ve a por ese dinero y tráeme una botella, maldita sea! –insistió el viejo.

–No lo hagas.

Aquella profunda voz hizo que a Aurora el estómago le diese un vuelco. Antes de volverse ya sabía quién era.

–Nico… –murmuró–. ¿Cómo has llegado aquí? La carretera del aeropuerto está cerrada.

Iba vestido con unos pantalones de traje y una camisa blanca, inmaculada a pesar de la ceniza que flotaba en el aire. Todo lo contrario que ella, que llevaba horas barriendo alrededor de la casa, en un intento por que Geo estuviese a salvo del fuego, por lo que pudiera pasar.

¿Por qué no podría haber llegado dentro de un par de horas, cuando ya estuviese duchada y vestida para la fiesta de Antonietta? Aunque tampoco era que importase; Nico jamás la miraría de esa manera…

–He venido en helicóptero –respondió Nico.

–Te lo dije –le espetó el anciano a Aurora, antes de dirigirse a su hijo–: No pienso ir a ninguna parte y no eres bienvenido aquí. ¡Lárgate! –le gritó, señalándolo con su bastón.

–Pa-…

–¡Fuera! –rugió Geo–. Quiero que te vayas. No me das más que problemas. No eres bienvenido en mi casa. Eres un ladrón y un mentiroso. Me llevaste a la ruina.

Fue Aurora quien lo calmó.

–Llevaré a Nico fuera y le enseñaré lo que hay que hacer para prepararse por si llega aquí el fuego –sugirió. Cuando salieron de la casa se volvió hacia Nico y le dijo–: No te lo va a poner fácil; está empeñado en que no quiere irse.

–Lo sé –murmuró él con un suspiro.

Miró a su alrededor con los brazos en jarras y resopló. Tenía un helicóptero esperando y había reservado una plaza en una residencia de Roma para su padre, pero cuando le había pedido a su secretaria que se ocupara del papeleo había sabido que era inútil.

–¿Y cómo es que tú sigues aquí? –le preguntó a Aurora–, ¿cómo es que no te has ido?

–Tengo que proteger el pueblo.

–Si el fuego llega aquí, tú no podrás hacer nada para detenerlo –le espetó Nico.

Aurora no medía más de un metro sesenta. Era

menuda y flacucha como una raspa de… Bueno, ya no parecía una raspa de pescado. Se habían evitado mutuamente desde aquel día, cuatro años atrás, en que le había dicho que no iba a casarse con ella.

La chiquilla a la que había rechazado era ahora toda una mujer. La mocosa precoz que andaba siempre detrás de él se había convertido en una mujer asertiva y directa que lo excitaba enormemente, cosa que jamás se habría imaginado que pudiera llegar a ocurrirle. Pero no se lo dejó entrever, por supuesto, porque había una cosa que no había cambiado: seguía sin querer casarse, sin querer formar una familia, y no quería romperle el corazón.

—Puedo preparar comida para los bomberos —le respondió Aurora—. De todos modos, mi padre dice que el pueblo está a salvo.

—Aurora… —murmuró Nico sacudiendo la cabeza.

El pueblo no estaba a salvo, en absoluto. Había visto los incendios desde el aire, en su helicóptero, y había oído el tono de preocupación en los comentarios que había hecho el piloto, que antes había sido militar. Estaba seguro de que Bruno, el padre de Aurora, estaba arrepintiéndose de la estúpida decisión de quedarse y solo estaba intentando mantener las apariencias.

—Tenéis que iros —le insistió.

—No.

—Si tu padre se ha encabezonado, allá él. Déjalo y vente conmigo.

—Te he dicho que no —replicó ella una vez más, resoplando.

Nico estaba cada vez más irritado. ¿Es que no se

daba cuenta de que el pueblo podía acabar devorado por las llamas?

—Podría cargarte sobre mi hombro y sacarte de aquí a la fuerza. Justo lo que me estoy sintiendo tentado de hacer con mi padre.

—¿Y luego qué, Nico? ¿Qué iba a hacer yo en Roma?

Nico apretó los dientes.

—¿De verdad nunca has pensado en marcharte? —le preguntó.

—¿Por qué iba a marcharme? —replicó ella encogiéndose de hombros—. Mi familia lo es todo para mí. Dame un plato de buena comida y la compañía de los míos y habrá sido un buen día. ¿Qué más podría querer?

—Cuando quieras imitar a tu padre, deberías poner una voz más profunda.

—No estaba imitándole.

—¿Ah, no? Será que de oírle decir esas cosas tantas veces, has acabado por creer que esos pensamientos son tuyos.

—¿Por qué tienes que criticarlo todo?

Nico inspiró profundamente. Tenía razón. Estaba mostrándose muy crítico y no tenía ningún derecho. Y menos con todo lo que ella hacía por su padre. Decidió abordar ese asunto.

—Aún no me has mandado tu número de cuenta para que pueda pagarte por todo el tiempo que has pasado con mi padre.

—No lo veo como un trabajo.

No, lo veía como un deber. Y él lo sabía. Aunque no se hubiera casado con ella, Aurora se había autoimpuesto el deber de cuidar de su familia.

—Aurora…

—No tengo tiempo para esto, Nico. Quiero llevarme la leña cortada lejos de la casa de tu padre. Pensaba que mi hermano lo había hecho, pero no…

—Dame un segundo —la interrumpió Nico.

Se alejó unos pasos, se sacó el móvil del bolsillo y llamó a su piloto. Los dos estuvieron de acuerdo en que sería una pérdida de tiempo que siguiera sentado en el helicóptero esperando, por si su padre cambiaba de idea. Y, sin embargo, no podía abandonarlo a su suerte, ni dejar atrás a Aurora. Giró la cabeza hacia ella después de colgar y vio que estaba atareada levantando leños del suelo para llevárselos a otra parte, haciendo todo lo posible para mantener a su padre a salvo.

—Está bien, deja que yo me ocupe de eso —masculló yendo hacia ella.

Aurora, que estaba sudando por el esfuerzo, lo miró contrariada.

—¿No te marchas?

—No.

Su conversación se vio interrumpida por la llegada de Bruno, el padre de Aurora, que saludó a Nico calurosamente, como hacía siempre. Era algo que no dejaba de sorprender a Nico. Cualquiera pensaría que lo habría ofendido que no se hubiera querido casar con su hija, pero Bruno seguía tratándolo como si fuera a convertirse en su yerno algún día.

—Te quedarás con nosotros —le dijo.

—No, no… No quiero molestar —murmuró Nico, que lo último que quería era estar bajo el mismo techo que Aurora.

O, más bien, lo que querría sería estar bajo el mismo techo, pero a solas con ella. Le encantaría desnudarla, meterse con ella en la ducha y enjabonar esos pechos por entre los que se deslizaba en ese momento una gota de sudor. ¡Por amor de Dios!, ¿cómo podía estar hablando con su padre y pensando esas cosas?

–¿Qué pasa, que nuestra casa ya no es digna de ti? –quiso saber Bruno.

Rechazar la hospitalidad de Bruno sería un insulto y, le gustase o no, mientras su padre siguiera vivo, necesitaba de aquellas personas. Y, sin embargo, no estaría bien.

–Puedes dormir en la cama de Aurora.

–¡Ni hablar! –exclamó Nico.

–Si esta noche estará fuera, en la fiesta de cumpleaños de Antonietta...

–Pues debería quedarse en casa –replicó Nico–. Creía que con los incendios las carreteras estarían cortadas.

–La carretera principal sí, pero las que van a los pueblos de los alrededores no. Además, llevamos semanas enfrentándonos a esa amenaza –dijo Bruno–. La vida sigue, y el padre de Antonietta es el jefe del cuerpo de bomberos. Sus hombres están acampados en sus tierras, así que Aurora no podría estar en un lugar más seguro.

Nico no estaba tan seguro de eso; el peligro no sería precisamente el fuego...

–Me quedaré aquí fuera, haciendo guardia –dijo Nico, pero Bruno sacudió la cabeza.

–Esta noche le toca a Pino. Yo la hice anoche. Tú te quedarás en nuestra casa.

—Bueno, te lo agradezco —murmuró Nico—, pero dormiré en el sofá.

—Como quieras —contestó Bruno, encogiéndose de hombros.

Antes de cenar Nico fue a ver cómo estaba su padre y se encontró con que había estado bebiendo y se había quedado dormido. Aurora se le había adelantado, y estaba poniéndolo de costado en la cama para evitar que se ahogara si vomitaba durante la noche.

—Dejé dicho en la tienda que no le vendieran alcohol —le dijo Nico.

—Ahora lo compra por Internet y se lo mandan —respondió Aurora encogiéndose de hombros—. Es un adulto; no puedes controlarlo.

—Quizá debería dejar de mandarle dinero.

—Si dejaras de mandárselo lo que haría sería comprarse un vino barato —apuntó ella—. Vamos, volvamos a mi casa. Pronto estará lista la cena.

—Primero tengo que pasar por la consulta del médico para hablar con él.

Este le reiteró lo que ya le había dicho: su padre tenía que dejar de beber y necesitaba unos cuidados integrales que no podían proporcionársele allí, en Silibri, porque no había personal geriátrico cualificado.

—He hablado con una agencia de cuidados a mayores para preguntarles si podrían enviarme a dos o tres personas —le dijo Nico—, y estoy pensando en comprar la casa al otro lado de la calle; podrían alojarse allí y…

—Como si compras diez casas —lo interrumpió el médico—. Nadie quiere vivir aquí. Este pueblo habrá muerto antes de que muera tu padre.

Pero, si era así, ¿por qué Aurora no se marchaba de allí?, se preguntó Nico. Recordaba las cenas en su casa, años atrás. Aurora hablaba de las fotografías que hacía, y de cómo le daba la lata al dueño de la bodega para que cambiara las etiquetas de sus vinos, para que les cambiara el nombre y renovase la imagen del producto. Era una persona apasionada, con sueños, pero era como si aquel pueblo hubiera ahogado esos sueños, igual que el humo que se extendía por el valle.

—Venid a sentaros —les dijo Bruno cuando llegaron a la casa de los Messina. Su esposa, su hijo y él ya estaban sentados a la mesa.

—Yo no ceno hoy —replicó Aurora—. Habrá comida en la fiesta y tengo que prepararme.

—¿Y no habrá bomberos en esa fiesta? —preguntó su padre, mirando a Nico, aunque se estaba dirigiendo a ella.

—No creo; están un poco ocupados intentado apagar el fuego —le contestó Aurora con una sonrisa burlona, antes de abandonar el salón.

A Nico se le hizo un nudo en el estómago.

—A Aurora le hace tilín uno de los bomberos —le dijo Bruno, y puso los ojos en blanco—. Vamos, Nico, come, come, por favor.

Aunque la pasta estaba deliciosa, Nico apenas la saboreó. Y fue peor aún cuando oyó el ruido de las cañerías, señal de que Aurora había abierto el grifo de la ducha….

Aurora se sentía en el séptimo cielo bajo el chorro de la ducha. Era maravilloso sentir como el agua se llevaba el sudor y la grasa de su pelo y su piel. Aquella mañana se había levantado a las seis y no había parado un minuto. Bajó la vista y contrajo el rostro cuando sus ojos se posaron en sus pechos, algo más grandes de lo que querría que fueran, en su estómago, que no era precisamente plano, y en sus piernas, que no eran tan finas como le gustarían. Tenía una figura demasiado rotunda: demasiado pecho, un trasero demasiado grande… Y a todo eso había que sumarle que tenía demasiado carácter.

Demasiado de todo. Probablemente eso mismo era lo que pensaba Nico. ¿Por qué tenía que sentirse tan atraída por él?, se preguntó irritada, mientras salía de la ducha y se envolvía en una toalla. Solo de pensar en él sentía un fuego abrasador en su interior, como el que estaba devorando los montes que los rodeaban.

Volvió a su habitación y cerró la puerta tras de sí. No había cambiado casi nada en los últimos años, y seguía pareciendo la habitación de una adolescente. A su edad ya debería haberse independizado. Si no encontraba a nadie con quien compartir su vida podría acabar convirtiéndose en la solterona del pueblo. Lo que estaba claro era que nunca llegaría a saber cómo eran los besos y las caricias de Nico. Jamás.

Irritada consigo misma por que eso la hiciese sentirse tan desgraciada, lágrimas de rabia saltaron a sus ojos. Cuando estaba secándose y peinándose la oscura y rebelde melena, la cadenita con una cruz de oro que llevaba siempre al cuello se enganchó en las púas del cepillo sin que se diese cuenta, y al tirar se rompió y cayó al suelo. Parecía una señal: de repente se sentía inquieta, al límite, capaz de hacer cualquier insensatez.

Y es que… ¿qué sentido tenía esforzarse por ser una buena chica y dar lo mejor de sí misma cuando la persona de la que estabas enamorada no quería nada contigo? Fue hasta la estantería y sacó un libro. Era un libro al que le había hecho un hueco cuadrado en las hojas con un *cúter* para esconder la caja prohibida. Sus padres no sabían que estaba tomando la píldora.

Dejó el libro sobre la cómoda con un suspiro antes de empezar a vestirse. La píldora inútil, la llamaba ella, porque no se imaginaba haciéndolo con otro que no fuera Nico. Hacía unos días uno de los bomberos que estaba en casa de Antonietta había flirteado con ella y la había besado, pero le había parado los pies cuando había intentado meterle mano. Esa noche bebería vino sin preocuparse por si se achispaba un poco, y si aquel tipo volvía a besarla respondería al beso. Y si intentaba tocarle el pecho otra vez, quizá no le apartaría la mano. «¡Al diablo contigo, Nico Caruso! No pienso seguir penando por ti…», se dijo mientras acababa de vestirse y se ponía un poco de colorete, rímel y brillo de labios.

Sin embargo, no estaba poniéndose guapa para aquel joven bombero, admitió para sus adentros, aplicándose unas gotas de perfume en el cuello y en las muñecas, para luego calzarse sus sandalias de tacón. No, se estaba poniendo guapa para el momento en el que pasara por delante de Nico al ir a marcharse. Quería que al verla se arrepintiese de haberla desdeñado.

Sin embargo, cuando Aurora reapareció en el salón, ataviada con un vestido plateado de lo más sexy y unas sandalias de tacón, a Nico casi se le atragantó el bocado que tenía en la garganta, y sintió una punzada de deseo en la entrepierna.

—Ve a cambiarte ahora mismo, Aurora —le ordenó su padre.

—¿Para qué? Podría haberte engañado y cambiarme al llegar a casa de Antonietta —le espetó Aurora con frescura—. Y me da igual lo que digas; no pienso ponerme otro vestido. Este es el que voy a llevar a la fiesta.

Nico no pudo evitar sonreír. Aurora nunca hacía las cosas por detrás, ni mentía. Se mostraba tal y como era. Fuera se oyó el claxon del taxi, un taxi que transportaba a los habitantes de la comarca de un pueblo a otro.

Mientras Aurora se inclinaba para dar un beso de despedida a su padre, a su madre y a su hermano, Nico tuvo que contenerse para no pasarse una mano por el pelo mientras esperaba, tenso, a que hiciera lo propio con él también.

Aurora estaba igual de tensa. Si no se despedía de él también con un beso en ambas mejillas, como era tradición hacer con los invitados además de con la familia, los demás se darían cuenta y sería muy violento, además de que podría provocar comentarios.

Nico estaba sentado a la cabecera de la mesa. Cuando se inclinó para darle los dos besos de cortesía apoyó la mano en la mesa para tener el menor contacto posible con él y contuvo el aliento para no aspirar el aroma de su colonia. Lo besó en una mejilla, rozándosela apenas con los labios, pero entonces su madre tuvo que elegir ese momento para levantarse a servirle más pasta, y a ella no le quedó más remedio que quitar la mano de la mesa y apoyarla en su hombro para besarlo en la otra mejilla. Tenía unos hombros tan anchos… tan fuertes…

–Cuídate –le dijo Nico antes de que se irguiera. Su voz sonaba algo ronca–; no hagas tonterías.

Ella esbozó una leve sonrisa y le respondió en un tono desafiante:

–Lo que haga o deje de hacer no es problema tuyo.

Tal vez, pensó Nico apretando la mandíbula, pero estaba claro que ella sí que iba a buscarse problemas…

Capítulo 4

Lo que ocurrió esa noche, cuatro años atrás, que ninguno de los dos podía olvidar...

—Deberíamos habernos ido, como los demás —murmuró Antonietta.

Aurora giró la cabeza y miró a su amiga. Chi-Chi, Antonietta y ella estaban sentadas en el porche, observando el ominoso fulgor del fuego en la lejanía.

—No nos pasará nada —dijo Chi-Chi—. Además, han anunciado probabilidad de tormentas.

—Pues si de mí dependiera, yo me habría ido hace días —insistió Antonietta—. Mi padre ha dicho que dará otra fiesta cuando hayan extinguido del todo los incendios; voy a comprometerme —añadió, cambiando de tema.

Chi-Chi dio un gritito de emoción.

—¿Te vas a casar? ¿Con quién?

—Con Silvestro —respondió Antonietta.

Aurora tuvo que contenerse para no hacer una mueca. Antonietta y Silvestro eran primos segundos, y estaba segura de que no iban a casarse por amor, sino para mantener el patrimonio familiar.

—¿Y estás contenta? —le preguntó vacilante.

Antonietta se quedó callada un buen rato antes de encogerse de hombros y responder:

– *!C'est la vie!*

A Aurora le preocupó el tono de resignación de su amiga.

—He oído que tu Nico ha vuelto –dijo Antonietta.

—No es «mi» Nico –murmuró Aurora.

—No, no lo es –asintió Chi-Chi–. Y deberías olvidarte de él –añadió, señalando con la cabeza un camión de bomberos que llegaba en ese momento, cargado de hombres necesitados de descanso, algo de comida, y quizá un beso…

Antonietta agarró a Aurora del brazo.

—Pero si Nico ha vuelto… ¿qué estás haciendo aquí?

—No quiere nada conmigo –contestó Aurora.

Antonietta, aunque acababa de cumplir los veintiuno, tenía una madurez impropia para su edad.

—Vete a casa –le dijo–. Habla las cosas con él ahora que aún estás a tiempo. He oído a mi padre hablando con sus hombres sobre la dirección que podría tomar el fuego…

El tono solemne de Antonietta y las caras de cansancio de los bomberos, que estaban bajándose del camión, hicieron a Aurora preguntarse qué estaba haciendo allí. Quizá su amiga tuviera razón.

Aquella sería su vida si se hubiese quedado en el pueblo, pensó Nico, mientras jugaba a las cartas con los padres de Aurora: trabajar en los viñedos durante el día, y volver a casa cansado por la noche.

Sin embargo, si se hubiese casado con Aurora, vivirían en la casa vacía al otro lado de la calle, y en ese momento estaría con ella, en vez de estar allí sentado, mirando los brazos peludos de Bruno mientras barajaba las cartas. Y Aurora no estaría por ahí fuera, con aquellos peligrosos incendios fuera de control.

—Voy a ver cómo está mi padre —dijo levantándose.

Lo encontró profundamente dormido, y cuando salió de la casa sintió el viento tórrido en la cara. Alzó la vista hacia los montes, que seguían ardiendo. El fuego estaba cada vez más cerca. El cielo se estaba encapotando, y en la distancia se veían rayos. Serían presa fácil si el viento cambiaba de dirección. Volvió a casa de los Messina.

—Bruno, ¿puedo tomar prestado tu coche para ir a recoger a Aurora? El fuego está avanzando muy deprisa.

Bruno respondió que se lo había llevado su hijo.

—Y a ella no le caerá nada bien que interfieras con sus planes de esta noche. Además, como te he dicho, no puede estar en un sitio más seguro: el jefe de bomberos no va a dejar que arda su casa.

¡Dios!, le entraron ganas de gritar a Nico. ¿Se podía ser más absurdo?

—Y Aurora sabe que si la cosa se pone fea lo que tiene que hacer es volver y nos dirigiremos a la playa.

Nico sintió deseos de sacudir a Bruno y preguntarle: «¿Y no es mejor que, si vamos a morir, muramos todos juntos?», pero no quería preocupar a la madre de Aurora.

—Ve a por un almohadón al cuarto de Aurora y te prepararemos la cama en el sofá con unas sábanas —le dijo Bruno.

El aroma de Aurora aún flotaba en el aire cuando entró en su habitación. Al bajar la mirada vio su cruz de oro en el suelo. Se agachó a recogerla y se dio cuenta de que la cadena estaba rota. La sostuvo un momento en su mano y enarcó una ceja, intrigado, al ver el libro sobre la cómoda. Si a Aurora nunca le había gustado la poesía…

Al abrirlo y ver la caja, a la que le faltaban la mitad de las píldoras, tuvo el convencimiento de que había dejado el libro allí encima para que lo viera. Volvió a dejarlo sobre la cómoda. «Mensaje recibido, Aurora», pensó con el ceño fruncido. No se lo podría haber dejado más claro…

Tendido en el sofá y sin poder conciliar el sueño, Nico oyó que fuera se detenía un taxi y bajaban varias personas, a las que oyó hablar entre ellas, pero ninguna era la voz de Aurora.

El servicio de taxis acababa a medianoche, y ya pasaban diez minutos de las doce. Le dio un puñetazo al almohadón y se lo puso sobre la cabeza para no oír los ronquidos de Bruno. La señora Messina debía estar también harta del ruido, porque oyó que lo despertaba y le decía que se pusiera de lado, que no podía dormir con sus ronquidos, y durante un rato reinó el silencio, salvo por el ruido del hidroavión que iba y venía, recogiendo agua del mar para luego arrojarla sobre las colinas en llamas.

Más tarde oyó que el camión del panadero pasaba traqueteando por la calle y se detenía. Sabía por el ruido que era ese camión, y que era la última opción para volver al pueblo durante la noche. A él lo había llevado el panadero muchas veces.

Estaba tan inquieto por Aurora que se puso tenso como la cuerda de un arco, pero entonces la puerta se abrió muy despacio y suspiró aliviado al oír los pasos callados de la joven, que se había descalzado y cruzó por delante de él de puntillas y con las sandalias colgando de la mano.

Aurora no podía ver a Nico en la oscuridad, pero sentía su presencia. Estaba tan harta de él y del efecto que tenía en ella que tuvo que contenerse para no escupir en su dirección. En vez de eso se metió en el cuarto de baño, cerró la puerta y se quedó mirándose un momento en el espejo –tenía el rímel corrido y el pelo alborotado– antes de cepillarse los dientes.

Estaba visto que ni siquiera era capaz de besar a otros hombres. Y eso que aquel bombero era bastante atractivo. Era un tipo grande, con barba, y la clase de hombre que se llevaría bien con su padre. Vivía en el pueblo de al lado y le había dicho que le encantaría ir con ella a conocer a su familia si con eso conseguía que le diese una oportunidad.

Era agradable, pero no era Nico. En sus sueños, en su imaginación, era a Nico a quien besaba, con quien lo hacía por primera vez, y no sabía cómo podría cambiar eso. Se lavó la cara, se desvistió, y se puso una camiseta vieja que le quedaba grande. Sin embargo, en vez de irse a su habitación, se dirigió al salón. La decisión estaba tomada: su primera vez sería con Nico.

Este la oyó detenerse frente al sofá pero se hizo el dormido.

–Sé que estás despierto –dijo Aurora en voz baja.

—¿Cómo es que has vuelto?

Ella no contestó.

—¿Qué has estado haciendo?

—No tengo que darte explicaciones —le espetó Aurora. Luego, encogiéndose de hombros, añadió—. Solo hemos estado en el porche, charlando…

—¿Con quién has estado?

—Hace tiempo que perdiste el derecho a hacerme esa clase de preguntas, Nico.

—¿Con quién? —inquirió él de nuevo, incorporándose.

—Con Chi-Chi y Antonietta.

—¿Y ese bombero tuyo?

—A él le gusto; a ti no.

—¿Y entonces por qué has vuelto?

—Porque a mí él no me gusta. Quien me gusta eres tú.

Nico, que advirtió la desesperación en su voz, la tomó de la mano y tiró de ella suavemente, para hacer que se sentara a su lado.

—Aurora —le siseó—, el que no quisiera casarme no tiene nada que ver contigo.

—¿Cómo no va a tener que ver conmigo, cuando nuestros padres acordaron…?

—¿Acaso he hecho alguna vez lo que quería mi padre que hiciera? —la interrumpió Nico.

—Me rechazaste.

—Tenías dieciséis años. Y si quieres ofenderte por que no me sintiera atraído por una adolescente a la que veía como una hermana, allá tú.

Aurora tragó saliva. Nunca lo había visto de esa manera.

—¿Me ves como a una hermana?

—Te veía como a una hermana —puntualizó él.

—¿Y cómo me ves ahora?, ¿como a una amiga?

—Jamás podremos ser amigos, Aurora.

Habría quien se hubiera tomado aquello como un insulto, pero Aurora sabía que era verdad. Ella tampoco podría ver jamás a Nico solo como un amigo.

—¿Qué has hecho en esa fiesta? —le preguntó Nico.

—Intentar encajar. Pero, como siempre, no he podido.

—¿Qué quieres decir?

—Chi-Chi está desesperada por casarse; y Antonietta… va a prometerse con Silvestro.

—¿Pero no son primos?

—Primos segundos, creo —respondió ella, y vio a Nico torcer el gesto—. Me parece que a ella la idea no la hace muy feliz.

—No me extraña.

—El caso es… —continuó Aurora—… que Chi-Chi quiere un marido, Antonietta no lo quiere, y en cuanto a mí… —inspiró profundamente y le confesó—: Tengo veinte años y hasta la semana pasada no me dieron mi primer beso.

—¿Solo fue un beso? —inquirió Nico.

Ella asintió.

—Y lo odié —admitió.

Nico no sabía si creerla.

—Ya. Pues te diré una cosa: tienes que esconder mejor tus anticonceptivos.

—¿Has estado fisgoneando en mi cuarto?

—No, tu padre me envió a buscar un almohadón y me encontré el libro por ahí encima —replicó él—. Pero si tu padre o tu madre lo vieran…

—Normalmente tengo más cuidado. Es que hoy iba con prisa.

–Y si solo hace unos días que te dieron tu primer beso y lo odiaste, ¿cómo es que estás tomando la píldora?

–Ya sabes lo que dicen: si abres una cafetería, la gente vendrá –dijo Aurora con sorna.

Nico se rio y ella se echó a reír también. Era tan increíble estar allí sentada, compartiendo risas con él, que se encontró haciendo lo que sabía que no debería hacer: le puso la mano en la mejilla. Por un momento, cuando Nico plantó la suya sobre la de ella, creyó que iba a apartársela, pero no lo hizo.

–Soy yo quien no encaja –le dijo–: no quiero tener una relación; no quiero responsabilidades.

–Y probablemente tampoco quieras nada con una chica que ni siquiera sabe besar.

–Estoy seguro de que sí sabes.

–¿Puedo probar contigo, para qué me digas qué tal lo hago?

–No.

–¿Tanto asco te doy?

–Sabes que no es eso.

–¿Entonces por qué no dejas que te bese?

–No voy a hacer de conejillo de Indias para que practiques.

–Bueno, entonces tendré que volver con el bombero que me tira los tejos... –murmuró Aurora.

La mano de Nico apretó la de ella.

–Está bien; pero solo un beso.

Al ver que Aurora estaba colocándose a horcajadas sobre él, Nico frunció el ceño y le preguntó con una sonrisa divertida:

–¿Qué estás haciendo?

Aurora no había mirado al bombero cuando la había besado. De hecho, había cerrado los ojos, pero no porque se sintiera en el séptimo cielo. A Nico lo devoró con la mirada. Sus facciones eran igual de atractivas en la penumbra: la sombra que se proyectaba en sus mejillas, el hoyuelo en su recia mandíbula, esos labios tan apetitosos y esos ojos negros mirándola...

Inclinó la cabeza y acarició con las yemas de los dedos su áspera barbilla antes de besarlo suavemente en los labios, de un modo juguetón, aunque no casto. Era como una especie de calentamiento, como azuzar con un palo a un enorme oso dormido. Podía sentir el calor de su vientre contra su pubis.

–Bésame con lengua –susurró Nico contra sus labios.

–Soy demasiado tímida para eso.

Su respuesta los hizo reír a los dos, y fue agradable sentir como su aliento se mezclaba con el de él. Nico le pasó una mano por la nuca para atraerla hacia sí y la besó. Aurora cerró los ojos, extasiada, al sentir las caricias de su lengua contra la suya. Estaba claro que él sí sabía besar, y le dejó entrever la pasión que había bajo esa fachada distante. Mientras la lengua de Nico se enroscaba con la suya de un modo pecaminoso, bajó las manos a sus nalgas y dio un respingo, separando su boca de la de ella.

– *¡Dio!* Aurora, ¿y tus bragas? –le siseó.

–Me las quito para dormir –contestó ella, con una sonrisa pícara–. Hace demasiado calor.

Nico le hincó los dedos en las nalgas y Aurora se sintió decepcionada cuando lo vio vacilar y notó que apartaba las manos.

—¿Tú te dejas la ropa interior cuando te vas a dormir? —le preguntó, sentándose sobre sus muslos y echándose hacia atrás.

Estaba provocándolo, porque con ese movimiento había deslizado su sexo desnudo contra la entrepierna de Nico. Al bajar la vista constató, por el bulto que se marcaba bajo sus boxers negros, lo excitado que estaba.

Liberó su miembro erecto, tocándolo sin miedo ni vacilación.

—Aurora… —jadeó él en un tono de advertencia, y le apartó la mano antes de que acabara perdiendo el control.

Sin embargo, ella no se dio por vencida, y cuando empezó a acariciarlo de nuevo no se lo impidió.

—Sofoca este fuego que me abrasa… —le suplicó.

—No, tienes que volver a la cama.

Nico la agarró por las caderas para intentar quitarla de encima de él, pero ella se negó a moverse.

—No.

—Está bien. Haré que disfrutes, pero luego te vas a la cama —le propuso él.

Su tono arrogante no hizo sino excitar aún más a Aurora, que estaba ansiosa por descubrir lo que podría hacerle sentir. ¡Y qué placer podía proporcionarle solo con sus dedos!, pensó cuando empezó a tocarla. Sin embargo, no podía decirse que estuviese siendo muy delicado, y tuvo que reprimir un grito cuando introdujo uno de sus dedos dentro de ella. Al principio le dejó hacer, moviendo las caderas al compás que estaba marcando, pero luego gimió, llena de frustración y protestó diciéndole:

—No son tus dedos lo que quiero dentro de mí…

–Déjate llevar –replicó él, incrementando la presión de sus dedos y moviéndolos más deprisa.

Cuando Aurora llegó al clímax, Nico decidió que cuando ella hubiera subido a su cuarto se masturbaría para aliviarse y entonces quizá podría dormir un poco.

–Si el fuego llega hasta aquí, puede que muramos esta noche, Nico –le dijo ella–. No dejes que muera virgen.

Cuando bajó la vista para mirarlo y vio que sus labios se curvaban, se estremeció por dentro. No sabría decir qué significaba esa sonrisa, que era más bien una mueca salvaje, como el tono de su voz, que sonó ronca cuando le ordenó:

–Túmbate en el suelo.

–No –replicó ella.

No quería separarse de él ni un segundo; temía que cambiase de opinión. Aquella extraña sonrisa permaneció invariable cuando Nico apartó la mano de su sexo para agarrar su miembro.

–Entonces, quítate esa camiseta –le dijo–. Quiero verte desnuda.

Bullendo de impaciencia y de emoción porque al fin iba a conseguir lo que ansiaba, Aurora se sacó la camiseta por la cabeza. Luego, apoyando las manos en su pecho, se levantó un poco y bajó la vista para ver como Nico sostenía su miembro con una mano y frotaba la punta contra la parte más sensible de su cuerpo.

–No hagas ningún ruido –le advirtió mientras intentaba introducirse en ella. Sin embargo, al ser la primera vez de Aurora, no era una tarea sencilla–. Túmbate en el suelo –le insistió; así le resultaría más fácil.

–No… Por favor, no me hagas esperar más…

Nico solo había logrado introducirse un poco en ella. La agarró por las caderas, y pretendía hacerlo con más cuidado, pero los dos estaban bañados en sudor, y cuando la empujó hacia abajo resbaló contra su cuerpo y su miembro se hundió hasta el fondo.

Para Aurora fue el instante más doloroso, exquisito y maravilloso de toda su vida. Se mordió los labios para no gritar, y fue a Nico a quien se le escapó un gemido ahogado.

—Shh… —lo chistó ella.

—Deja que te bese —murmuró Nico.

Y entonces fue ella quien gimió, porque la besó con ternura, pero también de un modo muy sensual. Los labios y la lengua de Nico disiparon el dolor, que fue reemplazado por el fuego del deseo, y Aurora comenzó a moverse. Nico tomó las riendas, asiéndola por las caderas para acompasar sus movimientos a los de él, al tiempo que se arqueaba para embestirla una y otra vez.

—Nico… —jadeó ella, luchando por no gritar de placer—. Nico…

El fuego que se había declarado en su interior estaba extendiéndose, consumiéndola. Otro gemido ahogado volvió a escapar de los labios de Nico, que se arqueó, tensándose por completo, y al sentir como eyaculaba dentro de ella Aurora estalló de placer y cerró los ojos, sobrecogida por la fuerza del orgasmo que la sacudió mientras él le tapaba la boca.

Aurora apretó los labios contra la palma de su mano. Su piel sabía salada por el sudor. Nico le pasó la mano por detrás de la nuca y la atrajo hacia sí para besarla mientras bajaban de nuevo a la tierra, al mundo material que habían abandonado unos instantes. Su padre seguía roncando, y se oían a lo lejos las hélices de los helicópteros de los bomberos.

Nico la mantuvo abrazada contra sí durante un rato, pero estaba preocupado por los incendios, y la depositó sobre el sofá para acercarse a la ventana. En la distancia se veía aún el fulgor rojo del fuego en la ladera de la colina. Se volvió hacia Aurora. Debía llevarla de vuelta a su cama.

–Vamos –le susurró, acercándose y tomándola de la mano.

La ayudó a incorporarse, y Aurora, a quien le temblaban las piernas, contuvo a duras penas las lágrimas. ¿Cómo podía mostrarse tan apasionado en un momento, y al instante siguiente mandarla a la cama, como si fuera una niña?

Nico recogió del suelo la camiseta de Aurora y condujo a esta a la pequeña cocina. Encendió la luz y al bajar la vista Aurora vio que estaba sangrando.

–No puedo darme una ducha –murmuró–. Mis padres se despertarían con el ruido de las cañerías.

–Lo sé –respondió Nico.

La sentó sobre la encimera, abrió el grifo del fregadero y empezó a lavarla con la mano lentamente, con cuidado y con ternura. Para Aurora fue el segundo mejor momento de su vida. Cuando hubo terminado, Nico le puso la camiseta. No la besó, pero la abrazó un instante antes de soltarla, y Aurora volvió arriba y se metió en la cama, sintiéndose fuera de lugar en su habitación pintada de rosa, que parecía haberse quedado anclada en su infancia.

Capítulo 5

AURORA se despertó muy temprano, como siempre. Estaba en su cama, pero la sensación que tenía era completamente distinta a la de cualquier otro día. No se acordó siquiera de los incendios. Durante días la habían obsesionado, pero ese día sus primeros pensamientos fueron sobre Nico y lo que había ocurrido la noche anterior entre ellos.

No se arrepentía de nada. De hecho, al recordarlo, se sintió como si estuviera flotando. Sin embargo, el recordarlo también la llenaba de temor. Jamás habría pensado que podía amarlo más de lo que lo amaba, o desearlo aún más de lo que lo deseaba, pero así era.

Solo entonces se dio cuenta, al oír un ligero repiqueteo en la ventana, de que estaba lloviendo. Se bajó de la cama y fue a escudriñar por el cristal. Había vapor en el ambiente por el calor que hacía, y una columna de humo negro se alzaba hacia el cielo en medio de la fina lluvia. Se puso un vestido y unas sandalias, bajó sigilosamente las escaleras y al pasar por el salón le lanzó una mirada furtiva a Nico, que seguía dormido en el sofá, antes de abandonar la casa.

Nico se despertó al oír como la puerta se cerraba suavemente, y escuchó también el repiqueteo de la tan esperada lluvia. No era muy dado a examinar sus emociones, que con frecuencia prefería ignorar, pero por un momento se quedó allí tendido, intentando encontrar las palabras para definir cómo se sentía.

Cerró los ojos con fuerza, no tanto porque se arrepintiera de lo ocurrido la noche anterior –de hecho, en sus veintiséis años de vida, aquello había sido lo mejor que le había pasado–, sino porque se sentía culpable.

Se sentía culpable porque, a pesar de que aquello lo cambiaba todo entre ellos, lo que no había cambiado era el hecho de que él no quería enamorarse, y que desde luego tampoco quería casarse.

Esa madrugada había perdido el control, y era algo a lo que no estaba acostumbrado. Siempre usaba preservativo; siempre. Y, sin embargo, en esa ocasión ni siquiera se había acordado.

Si el hermano de Aurora hubiera vuelto a casa, o si su padre o su madre se hubiesen despertado y los hubiesen pillado, ahora estarían llevándolos a la vicaría para fijar una fecha para la boda.

Se vistió y salió a buscarla al lugar en el que estaba seguro de que la encontraría. Había mucha humedad en el ambiente. Sin duda la lluvia no conseguiría apagar los incendios, pero prevendría que se extendiesen más. Cruzó el pueblo, bajando hacia los acantilados que se asomaban al mar.

Encontró a Aurora donde había esperado, paseando por las ruinas del antiguo templo romano. Debía estar tan absorta en sus pensamientos que no lo oyó acercarse, y dio un respingo cuando lo vio aparecer.

–¿Estás bien? –le preguntó Nico.

–Pues claro –respondió Aurora.

Sabía que debía tener un aspecto lamentable, con el pelo y el vestido mojado, pero tampoco podía hacer nada al respecto. Además, Nico también tenía la camisa y el pelo húmedos por la lluvia.

–¿Te arrepientes de lo de anoche? –le preguntó él.

–No, en absoluto.

Aunque pudiera dar marcha atrás, no lo haría. Lo único que querría cambiar era el presente… y el futuro que se abría ante ella sin él.

–¿Y tú? –le preguntó.

–En parte –admitió Nico–, porque no quería darte una idea equivocada de…

–He captado el mensaje –lo interrumpió ella–. Me ha quedado bien claro que no quieres casarte conmigo y que…

–No, que no quiero casarme. A secas –la corrigió él–. No quiero embarcarme en una relación.

Y esa era la diferencia entre ellos, pensó Aurora. Para Nico lo que había ocurrido entre ellos esa noche solo había sido sexo, mientras que ella sentía que había una conexión especial entre los dos.

–Además, te aseguro que tú tampoco querrías casarte conmigo –añadió Nico.

En eso se equivocaba, pero por dignidad inspiró profundamente e hizo un esfuerzo por mostrarse calmada cuando respondió:

–No, claro que no. No querría casarme con un hombre al que la sola idea de tener que pasar el resto de su vida aquí, en Silibri, le da repelús –se quedó callada un momento y le preguntó–: ¿Cuándo te marchas?

–Quiero ver cómo evolucionan los incendios –dijo Nico–, pero en principio mi intención es irme hoy.

Hasta el tiempo estaba en su contra, pensó Aurora, al ver que estaba empezando a llover con más fuerza. Sí, Nico se marcharía ese mismo día.

–¿Pensaste que lo de anoche cambiaría las cosas entre nosotros? –inquirió él.

–No.

No se había hecho ilusiones; no había pensado ni por un momento que el hacerlo con él fuera a provocar ningún cambio en su actitud. Pero sí había abrigado una pequeñísima esperanza con respecto al futuro… y él la había desbaratado de un plumazo.

–Jamás me casaré –le repitió Nico.

–Pues yo sí –dijo ella con fiereza.

A Nico le dolieron sus palabras, pero no se lo dejó entrever.

–Lo entiendo. Tienes tu vida, y no tienes ninguna obligación para conmigo.

–Lo sé.

–Entonces, si piensas seguir cuidando de mi padre, al menos dame tu número de cuenta.

–No quiero tu sucio dinero.

–¿Sucio?

–¡Venga ya, Nico! No me tomes por tonta. ¿Cómo puede ser que un chico de pueblo que dejó los estudios a los dieciséis haya llegado a ser el propietario de varios hoteles a los veintiséis años y hasta tenga un helicóptero?

–Siempre pensando lo peor de mí, ¿eh?

–¿Qué otra cosa puedo pensar? –le espetó ella–. Más vale que te andes con ojo.

–¿Con qué?

–Con lo que sea en lo que estás metido.

—¿Crees que tengo tratos con la mafia o algo así? —dijo Nico—. ¿O quizá que trafico con drogas? —detestaba que pensase así de él—. No estoy metido en nada.

—Sí, claro. A otro perro con ese hueso —murmuró ella, dándose la vuelta para marcharse.

Nico la agarró por el brazo y la hizo girarse hacia él.

—No estoy metido en nada —le repitió enfadado—. Si quieres saber lo que sea sobre mí, no tienes más que preguntar.

—¿Cómo lo has conseguido? —inquirió ella.

—¿Sabes que cuando me marché de aquí fui a casa de mi abuelo?

Aurora asintió.

—Tu abuelo materno, ¿no?

—Sí. La familia de mi madre son gente modesta, a los que nunca le hizo demasiada gracia mi padre. Desde un principio les pareció que mi madre se estaba equivocando, pero ella se escapó con él a pesar de su oposición y se casaron. Mi abuelo me sugirió que cortara toda relación con mi padre, pero no me sentí capaz. Me busqué un trabajo y le mandaba cada mes la mitad de mi sueldo. Sabía que mi padre no estaba bien y que ya no podía trabajar en los viñedos…

—Sí que podía —lo interrumpió Aurora—. No lo hacía porque no quería.

—Tal vez —concedió Nico—. El caso es que comencé trabajando en un bar. Al cabo de un tiempo pedí un préstamo al banco, compré una pequeña participación del negocio y empecé a trabajar más horas.

—Con eso no se puede comprar un hotel de cinco estrellas en Roma y tres más.

–No tengo cuatro hoteles, Aurora –replicó él–. Solo tengo participaciones en ellos.

Ella sacudió la cabeza; no le creía.

–Lo que sí tengo son tierras –añadió Nico. Giró la cabeza hacia el mar–. Mi padre no se casó con mi madre por amor, sino por lo que esperaba conseguir.

–¿Qué quieres decir?

–Ven, te lo enseñaré.

La condujo lejos de las ruinas del templo, en dirección al viejo monasterio.

–Mi abuelo era propietario de estas tierras sobre las que estamos –le dijo–, todo esto, hasta donde acaban las ruinas del templo. Cuando mi madre murió, mi abuelo cambió su testamento y me las legó a mí, para que mi padre no pudiera hacerse con ellas. Por eso mi padre dice todo el tiempo que le robé.

–¿Y para qué las quería él? –inquirió Aurora.

No había duda de que era un lugar muy hermoso, y sí, las vistas eran espectaculares, pero no le parecía que tuvieran ningún valor, y así se lo dijo.

–Ya lo creo que tiene valor. Mi padre habría vendido estas tierras y aquí ahora se levantarían un montón de apartamentos turísticos.

–La verdad es que no soy capaz de imaginarme algo así aquí –dijo ella–, aunque sería bueno para el pueblo que vinieran turistas y…

–En cierto modo sí, pero no es lo que quería mi abuelo –le explicó Nico–. Él quería que se restaurara el monasterio, pero para eso habría que traer la piedra de las canteras y… en fin, costaría un montón de dinero.

–¿Y qué vas a hacer entonces con el terreno?

–No tengo por qué hacer nada ahora mismo. Es un activo excelente, y cuanto más tiempo pase más valor tendrá. Puede que algún día restaure el monasterio y lo convierta en un hotel, pero uno muy exclusivo, con pocas habitaciones.

–Pero… ¿cómo le sacarías rentabilidad con tan pocos clientes?

–Sería un hotel de lujo; les cobraría una fortuna. Y creo que funcionaría.

La seguridad con la que hablaba hizo parpadear a Aurora. Aquel Nico, el hombre de negocios, era alguien a quien no conocía.

–Bueno, desde luego algo así revitalizaría Silibri –murmuró–. Y la gente que se ha ido volvería.

–Cierto –asintió él, pero, para no darle esperanzas, añadió–, aunque yo no. Al menos no para quedarme.

–Ya me ha quedado claro –dijo ella con aspereza.

Nico giró la cabeza hacia las ruinas. Luego, sus ojos se posaron en una vieja cabaña de piedra abandonada. Eso sería lo primero que reformaría, se dijo. Volvería para ver a su padre, pero así no tendría que volver a pasar la noche en casa de los Messina. No podría hacerle eso a Aurora. No iba a casarse con ella, pero con ese proyecto del hotel podría ayudar al pueblo y a Aurora también. Después de años de indecisión sobre qué hacer con aquellas tierras, de repente lo tenía claro.

Capítulo 6

Roma

Aquellas serían las últimas lágrimas que derramara por Nico Caruso, se prometió Aurora, secándose las mejillas con el dorso de la mano y estrujando irritada el pañuelo de papel que había empapado.

Sola en su habitación de hotel, mientras los demás hacían ese tour en autobús por la ciudad, no había podido evitar echarse a llorar al recordar aquella noche, cuatro años atrás, y la mañana siguiente. Pero esa también sería la última vez que reviviera esos momentos. Ya iba siendo hora de que pasase página. Por eso, en vez de sacar otro pañuelo de la caja, fue al cuarto de baño, se lavó la cara y volvió a maquillarse un poco.

No iba a quedarse ni un segundo más allí sentada, llorando por lo que podía haber sido y no fue. Era primavera y estaba en Roma. Se descargó al móvil aquella app de citas, pero al poco rato de empezar a rellenar el perfil sacudió la cabeza y cerró la aplicación. «Bueno, poco a poco», se dijo.

Bajó a la primera planta, con idea de sentarse a tomar algo en el bar, aunque la ponía un poco nerviosa la idea de entrar allí sola. Y justo entonces, ahora que estaba intentando olvidarse de Nico, tuvo que encontrarlo saliendo del bar justo cuando ella entraba. Al verlo fruncir el ceño dedujo que él tampoco esperaba verla allí.

—*Buona sera* —lo saludó, esbozando una sonrisa a duras penas.

—*Buona sera* —contestó él—. Creía que te habías ido con los demás a ver la ciudad.

—No —respondió ella, sin darle más explicaciones—. Venía a tomar una copa.

—¿Tú sola? —inquirió él, frunciendo el ceño de nuevo.

—¡Espero que no por mucho tiempo! —dijo Aurora, riéndose de su propio chiste—. Bueno, pues hasta mañana. ¡Ah, no! —se corrigió—, que vuelves a casa mañana.

—Ahora mi casa está aquí, en Roma —replicó él.

—Ya, pero, bueno, ya sabes lo que dicen de que uno nunca olvida sus raíces.

—Puede, pero como te he dicho ahora mi sitio está aquí —le reiteró Nico. Sabía que debería poner fin a aquella conversación y marcharse, pero se encontró añadiendo—: Y ya que estás en mi ciudad, deja que te invite a una copa.

Había vuelto a hacerlo, pensó Aurora irritada. Cuando más decidida estaba a pasar página, tenía que mostrarse amable con ella. Se tomaría esa copa con él, pero no volvería a comportarse como una tonta. Ahora Nico era su jefe.

El bar estaba bastante lleno, pero con un gesto de Nico un camarero los condujo de inmediato a una mesa tranquila en un rincón. Tomó nota de lo que iban a tomar: vino blanco con gaseosa para ella, y vino tinto para él, y se quedaron esperando en un tenso silencio cuando este se retiró.

—¿No vas a preguntarme cómo está tu padre? —le preguntó Aurora.

—He hablado con él por teléfono hace un par de horas, y mañana veré a su médico.

—Ah. Por cierto, mi madre le lleva la comida ahora que estoy fuera —le dijo ella—. Por si estabas preocupado por eso.

Nico no dijo nada, y Aurora inspiró profundamente, tratando de contener su exasperación, y se recordó que Nico no quería oír nada del pueblo. Sin embargo, su padre estaba muriéndose. ¿Era Nico consciente de eso?

—Mira, sé que después de todo lo que te hizo debes odiarlo, pero creo que…

—No lo odio —la interrumpió Nico—. Lo quiero mucho.

Aurora parpadeó con incredulidad.

—Pero sé que tengo que aceptar que él no quiere mi cariño. Y por eso mañana volveré a intentar acercarme a él, aunque sé que volverá a decirme que me vaya al infierno.

El camarero reapareció con sus bebidas, y aun habiendo tomado un sorbo de su copa, Aurora no acababa de asimilar aquella revelación.

—¿Quieres… a tu padre?

—Siempre lo he querido —respondió él, en un tono que Aurora nunca le había oído, un tono que sonaba a la vez firme y resignado—. Y no, no tengo que preguntarte cómo está mi padre, porque me mantengo en contacto con su médico. Sé que su salud se está deteriorando. Le he comprado ese sillón que me comentaste, el que se inclina hacia delante con un botón para ayudar a la persona a levantarse. Y le he encargado a un chef de Palermo que intente recrear un plato del que siempre habla, uno que su madre le hacía. Espero que eso lo anime a comer.

Aurora no sabía qué decir. No podía ni imaginar lo doloroso que debía ser para él querer a alguien que le había dado palizas de niño, a alguien que lo pinchaba y lo provocaba constantemente.

—Bueno, parece que últimamente está un poco más contento. Y un poco más calmado —murmuró—. Aunque tengo que confesarte algo: no soy muy buena cuidadora. La semana pasada le compré algo de whisky. Estuvimos viendo juntos un programa de televisión y nos reímos y…

—Gracias —le dijo Nico.

Aurora tuvo que contenerse para no alargar el brazo y poner su mano sobre la de él; sabía que a Nico no le gustaban las muestras de afecto.

—Su tiempo se agota —murmuró.

—Lo sé.

De pronto Aurora se sintió egoísta por haber dado por hecho que Nico se iba a Silibri solo por evitarla. Como tenía la impresión de que no quería hablar más del tema, paseó la mirada por el bar y comentó:

—A Pino le dará rabia haberse perdido esto. Quería invitarte a una copa, o a cenar.

—Y también que me fuera con vosotros a ese tour en autobús.

Aurora se rio.

–Mañana por la mañana desayunaré con vosotros antes de irme –añadió Nico.

–¿Ah, sí? Nadie me ha dicho nada.

–He pedido que os dejen una invitación a cada uno en vuestra habitación esta noche –le explicó Nico.

–No hacen falta esas formalidades; te conocemos de toda la vida –le dijo Aurora–. Somos tus amigos... lo quieras o no –añadió, al recordar que él le había dicho una vez que ellos dos nunca podrían ser amigos.

Nico se quedó callado. Tenía razón. Pino y todos los demás eran viejos amigos. Eran más que amigos. La gente de Silibri lo había criado, como las veces que se había escapado al parque, aterrado, después de las palizas de su padre, y Bruno Messina había insistido en que se fuera a dormir a su casa. O esas otras veces en que había pasado hambre y, a pesar de que su orgullo le había impedido pedir limosna, muchos lo habían invitado a comer.

«¡Eh, Nico!», solía decirle Pino, «necesito a alguien que me eche una mano en el jardín», y luego le decía que se quedara a cenar. «Nico, he hecho demasiados *biscotti*», le decía Francesca, «llévate unos cuantos antes de que se echen a perder».

A la mañana siguiente, en el desayuno, se quitaría la chaqueta de jefe y charlaría y reiría con ellos. Quería darles las gracias por haberle ayudado tantas veces antes de que el hotel abriera y su relación se volviera estrictamente laboral.

–¿No te preguntas nunca cómo van las cosas por el pueblo? –le preguntó Aurora.

A Nico no le gustaban los chismes, pero respondió:

–A veces. ¿Cómo está Chi-Chi?

–Sigue buscando un marido.

–¿Y Antonietta? ¿Mantienes el contacto con ella?

–Hablamos por teléfono, aunque no tan a menudo como quisiera. La echo mucho de menos.

–Me lo imagino; erais muy buenas amigas –dijo él–. Siento curiosidad por saber qué pasó en esa boda que no llegó a celebrarse.

–¿Te enteraste de eso? –exclamó Aurora.

–¡Yo diría que debió enterarse todo el que tenga algún pariente o conocido en Sicilia!

Aurora esbozó una leve sonrisa y tomó un sorbo de su copa, pero no se inclinó hacia delante con regocijo para compartir con él los detalles. Sabía que se sentía mal por su amiga.

–Pues… lo que pasó fue que nos quedamos sentados en la iglesia, esperando –le dijo finalmente–. Esperando y esperando a que la novia llegara.

–¿Y de verdad no sabías nada? ¿Ella no te había dejado entrever siquiera que iba a dejar al novio plantado en el altar?

–No.

–¿En serio?

–Es la verdad, Nico. Intuía que aquello no era lo que ella quería, pero no me había dicho nada. Estaba un poco sorprendida, y dolida, de que no me hubiera pedido que fuera su dama de honor.

–O sea que estuvisteis esperando y esperando… ¿y qué pasó? –la instó él para que continuara.

–Llegó un coche, y se corrió la voz de que Antonietta no iba en él, solo su padre. El sacerdote salió a hablar con él y se montó una bronca tremenda dentro de la iglesia. Fue horrible. Al parecer Antonietta había dejado una nota diciendo que se marchaba, a Francia. Había tomado un tren a primera hora de la mañana –le explicó–. La echo mucho de menos, pero no va a volver. Me escribió para decírmelo, aunque yo ya lo sabía. ¿Cómo va a volver, cuando lo que hizo se supo en el pueblo y en toda la comarca? Ya sabes cómo es su familia.

A Nico le habría gustado decirle que el tiempo curaría las heridas, pero sabía demasiado bien lo rencorosas que podían llegar a ser las personas.

–Pero estoy decidida a ir a verla –añadió Aurora–. Tan pronto como haya ahorrado lo suficiente y pueda tomarme unos días libres, compraré un billete de avión.

–¿Te apetece otra copa? –le ofreció Nico–. O podríamos cenar, si quieres.

–Creía que me habías dicho que te dejara tranquilo –le recordó Aurora–, que si estoy aquí es solo por trabajo. Además, ya nos hemos puesto al día hablando de la familia y de los amigos.

–Está bien. Entonces cuéntame lo de esa idea que se te había ocurrido.

–Pensaba que no tratabas con el personal auxiliar –le dijo ella burlona, recordándose lo mal que se había portado con ella–. Mañana hablaré con Vincenzo; le contaré mi idea y me quedaré mirando, viendo cómo le dan a él un ascenso.

La sonrisa divertida de Nico hizo que la determinación de Aurora de marcar las distancias con él se desmoronara como un castillo de naipes.

–Cuéntamela a mí –insistió él.

–No –replicó ella, pero estaba tan entusiasmada con aquella idea que le resultaba imposible guardársela para sí–. Bueno, está bien: estaba pensando que podríamos ofrecer un paquete muy exclusivo para bodas en las ruinas del templo.

–Pero ese terreno no es mío.

–Lo sé, pero eres el propietario del terreno que lo rodea, y es muy difícil llegar sin pasar por ahí.

–Ya. Pero habría turistas por medio, o…

–¿Y qué? ¡Pues como en esas bodas que se celebran en la playa…! Siempre habrá turistas o gente por medio porque son lugares públicos. Además, hagamos lo que hagamos, puede que tengamos que innovar más adelante. Puede que un día llegue a haber diez hoteles en Silibri…

–No como el mío –replicó Nico en un arranque de orgullo.

Restaurar el monasterio había sido un infierno, y ningún constructor en su sano juicio se habría tomado todas las molestias que él se había tomado. Y aun dejando eso a un lado, en ningún otro punto de Silibri había unas vistas tan magníficas.

–No sé, eso sería… –murmuró, a punto de poner más objeciones. Lo cierto era que había muchas, pero Aurora tenía razón–. La verdad es que es una idea brillante.

–Pero solo si lo lleva la persona adecuada –apuntó Aurora.

–Tenemos un coordinador de eventos.

–Ya, pero yo creo que las bodas en el templo deberían gestionarse aparte –dijo ella–. Y quiero ocuparme yo.

–Pero si no tienes ninguna experiencia… –apuntó

Nico–. No llevas en el sector de la hostelería ni cuatro semanas… Y antes de eso…

–Y antes de eso me dedicaba a limpiar. Y lo hacía muy bien, además –lo cortó ella–. ¿O no está la casa de tu padre limpia como la patena?

–Sí, lo está.

Aurora acababa de mezclar tres de los temas que más lo incomodaban: su padre, el hecho de que había estado ocupándose de su padre sin cobrarle nada, y las bodas.

–Además tengo contactos –añadió ella–. Conozco a todo el mundo…

–Aurora… –la interrumpió Nico, esforzándose por no perder los estribos–. Es una buena idea, una idea estupenda, pero antes hay que poner el hotel en marcha.

Sin embargo, ella no podía esperar.

–Incluso podríamos alquilar vestidos de novia para las parejas a las que les gusta hacer las cosas de forma espontánea, sin planificarlo –continuó–. Quiero sacarlo adelante, quiero ese puesto y te diré por qué: sé lo bonito que está el templo en las primeras horas de la mañana, y en el verano y en el invierno. Sé lo bonito que es cuando la luna apenas acaba de salir… –para demostrárselo, sacó el móvil y acercó su silla a la de él–. ¡Mira esto!

Al tener a Aurora tan cerca el aroma de su perfume envolvió a Nico, que trató de ignorarlo concentrándose en las fotografías que estaba mostrándole. Desde luego eran espectaculares.

–He paseado por esas ruinas desde que era niña, y durante años…

Aurora se quedó callada. No podía confesarle que era donde siempre había imaginado que se casarían. No en la pequeña iglesia del pueblo, sino allí, en las ruinas del templo romano. Estando tan cerca de Nico podía notar el calor de su cuerpo, y aunque había movido la silla sin pensar, de repente se sintió irritada consigo misma y se levantó para volver a poner distancia entre ellos y sentarse de nuevo frente a él.

—Por lo menos piénsalo —le dijo—. Y piensa en mí… —se quedó callada y sus ojos se encontraron—. Para el puesto, quiero decir.

—Pues claro —dijo Nico, sin apartar la vista—. Y para que lo sepas, sí que pienso en ti.

Aurora no supo qué responder a eso. No iba a dejarse engatusar por sus palabras, se dijo con firmeza. Había decidido pasar página. Apartó la mirada y bajó la vista a su copa, que estaba vacía.

—¿Quieres tomar otra? —le preguntó Nico.

—No, debería irme ya —dijo ella. Se levantó y se colgó el bolso del brazo—. Gracias por la copa. Me ha gustado poder charlar contigo y ponernos al día.

Mientras Nico la acompañaba hasta los ascensores, Aurora casi podía sentir las chispas que saltaban entre ellos. La aterraba que pudiera intentar besarla; no se sentía lo bastante fuerte como para rechazarlo.

—Deberías marcharte —le dijo—. Mañana tienes que salir temprano. Lo sé porque me lo dijo Marianna.

—Es verdad, debería irme —asintió Nico.

De hecho, ella era la razón por la que había decidido no pasar la noche en el hotel, precisamente para evitar una situación como aquella. Y, sin embargo, allí estaba, plantado frente a Aurora junto a los ascensores.

—¿Te veré en el desayuno, antes de irme? —le preguntó él.

—Espero recibir esa invitación —dijo Aurora.

—La encontrarás sobre la almohada.

Preferiría compartir con él la almohada…, pensó ella. ¿Por qué la asaltaban una y otra vez esa clase de pensamientos?

No era solo ella la que estaba flaqueando. Sin darse cuenta de lo que hacía, Nico levantó la mano para apartar un mechón de su rostro. No podía negar la atracción que sentía hacia ella, y de pronto se encontró acariciándole la mejilla y enredando los dedos en su pelo.

Aurora se sintió horriblemente tentada de girar la cara y besar la palma de su mano, de flirtear con él. Logró reprimir el primer impulso, pero no pudo contenerse y le dijo en un tono provocativo:

—Esta mañana te preparé la maleta con Marianna… y yo me ocupé de tu ropa interior.

Ya estaba otra vez, diciendo cosas que no debería decir y comportándose con demasiada familiaridad con él. Aunque a Nico tampoco parecía importarle demasiado, porque estaba acariciándole el lóbulo de la oreja y sus ojos se habían oscurecido de deseo. A Aurora cada vez le costaba más luchar contra sus sentimientos. No sabía cómo ser alguien que no era.

—Aurora… —murmuró Nico.

Ella se moría por dejarse llevar, por suplicarle que le hiciese el amor. Nico se marcharía a la mañana siguiente y cuando regresara ella ya se habría ido. No tendría otra oportunidad. No, no debía…, se reprendió. Y entonces, de repente, fue como si su ángel de la

guarda acudiese en su auxilio y le diese el valor nece-
sario para apartarse de él.

–Buenas noches, Nico –le dijo–. Ha sido un día muy
largo –añadió.

Esbozó una sonrisa y se alejó. Sería una noche
muy larga y solitaria, pero al menos cuando se despertase su orgullo seguiría intacto, pensó.

Capítulo 7

UNOS días después, tras haber estado evitando a Nico y llorando de tanto en tanto como una tonta, a solas en su habitación del hotel, Aurora salió a pasear por la ciudad. Sí, decididamente Roma tenía algo especial por la mañana temprano, pensó: las calles empedradas, que relucían porque el camión cisterna de la limpieza las había regado al pasar, la poca gente que había, los hermosos edificios y estatuas...

Cuando llegó a la Fontana di Trevi solo había unos pocos turistas. Según la tradición, lo único que tenía que hacer si quería volver a Roma era arrojar una moneda al agua. Solo que ella lo que quería era volver a su sencilla vida en Silibri, ni ella misma se lo creía, casarse con un hombre que trabajara en los viñedos, un hombre al que amara perdidamente y que correspondiera a sus sentimientos. No echaría de menos Roma, y un día tal vez tendría una hija y le diría: «Una vez conocí a un hombre perverso, un hombre que era capaz de hacer que mi corazón se alegrase y llorase al mismo tiempo. Pero me alejé de él; no dejé que me utilizara una y otra vez. Y no me arrepiento; ni por un segundo».

¿Entonces por qué de repente estaba llorando y buscando una moneda en su bolso? Encontró una, cerró los ojos y cuando la arrojó al agua formuló un deseo para sus adentros: «Deja que vuelva a tu lado, Nico. Déjame entrar en tu vida. Hazme el amor aquí, en Roma».

Regresó al hotel. Ese día le tocaba hacer prácticas en el Salón VIP, que frecuentaban los huéspedes más selectos, y le habían dicho que tenía que ponerse algo elegante. Se había comprado un vestido rojo, que esperaba que fuese adecuado.

Descubrió que el Salón VIP era bastante particular. Lo mismo se servían desayunos, que té con pastas o bollería a media mañana, y cuando ya eran casi las doce del mediodía una pareja le había pedido un cóctel con champán. Acababan de comprometerse, le dijeron cuando llegó con las copas.

—¡Ah, *complimente*! —los felicitó ella con una sonrisa, dejándolas sobre la mesa.

Se alegraba de verdad por ellos, pero sintió una punzada de envidia al verlos tomando sorbos de sus copas con las manos entrelazadas y mirándose a los ojos. Giró la cabeza hacia el ventanal. A pesar de la espectacular panorámica de Roma que se veía a través de él, se encontró pensando en Silibri, en la casita en la que había vivido su abuela, en las ruinas del templo… ¿Estaría Nico paseándose por el pueblo a sus anchas ahora que sabía que no había peligro de toparse con ella?

—¡Aurora!

La voz de Marianna, que había aparecido a su lado, la sacó de sus pensamientos.

–Perdón. Estaba distraída.

–Te estaba preguntando si me harías el favor de ir en mi lugar a casa de Nico. Van a ir a hacer una inspección de seguridad del balcón del dormitorio principal y alguien tiene que estar allí. No creo que sea más de un par de horas. No puedo pedírselo a cualquiera, y como tú estuviste conmigo allí el otro día…

–Claro, no hay problema –contestó ella. Tampoco podía negarse.

–Genial; eres mi salvación. Te sienta bien ese vestido, por cierto.

–Gracias. Me preocupaba que fuera demasiado formal.

–No, ¡qué va! –replicó Marianna–. Para atender a los clientes del Salón VIP vas perfecta.

El trayecto hasta la casa de Nico fue muy breve, y el chófer le dio su número de móvil para que lo llamara cuando hubiera terminado e iría a recogerla. En la puerta estaban esperándola dos hombres vestidos con mono de trabajo. Aurora abrió con la llave que le había dado Marianna para que entraran, y uno de ellos le explicó que, como la casa era un edificio protegido por el plan de patrimonio arquitectónico del ayuntamiento, aquella inspección era solo algo rutinario. Aurora los condujo al piso de arriba y esperó sentada en un silloncito del dormitorio mientras los hombres hacían su trabajo.

En unos minutos habían terminado. Aurora los acompañó a la salida y volvió arriba para cerrar las puertas del balcón. Sacó el móvil para llamar al chófer para que la llevara de vuelta al hotel, pero vaciló.

Probablemente aquella sería la última vez que vería aquella habitación.

De todas las cosas de las que se arrepentía, y con respecto a Nico había unas cuantas, la que más lamentaba era lo que casi había ocurrido el lunes por la noche. A pesar de que se había propuesto comportarse de un modo profesional y mostrarse distante, él había estado a punto de besarla, estaba segura, y si ella le hubiera dejado habrían acabado acostándose.

Se acercó hasta la pared junto a la cama, donde había un pequeño estante con libros, para curiosear un poco qué clase de lecturas le gustaban a Nico. Al ver que la mayoría eran libros sobre cómo mejorar la productividad y la concentración frunció el ceño.

–Nico, ¿cómo vas a relajarte, leyendo estas cosas? –se preguntó en voz alta, sacudiendo la cabeza.

Una sonrisa traviesa afloró a sus labios. Sacó de su bolso la sensual novela romántica que estaba leyendo. Podría colocarla entre los libros de Nico, pensó divertida. Pero a ella aún le faltaban unas páginas para acabarla, y Marianna no la esperaba hasta dentro de un par de horas, así que… Dejó el bolso en el suelo, se sentó en el borde de la cama y abrió el libro.

Era donde pensaba quedarse, pero al rato, enfrascada como estaba en la lectura, se quitó los zapatos sin pensar, subió las piernas a la cama y se recostó contra los almohadones. Se recreó, página tras página, y cuando hubo acabado la novela se levantó y la puso en el estante, entre los aburridos libros de Nico, y volvió a tumbarse con una sonrisa, imaginando su cara cuando se la encontrase. Y luego, recordando la tórrida escena de amor de uno de los últimos capítulos, cerró los ojos y se puso a fantasear con que los protagonistas eran ella y él...

—¡Aurora!

La voz de Nico la sobresaltó, y abrió los ojos de golpe.

—¡Nico! ¡Has vuelto!

La verdad era que a Nico no lo había sorprendido encontrarla allí. Marianna había mencionado que la había mandado a su casa para que dejara entrar a los operarios que iban a hacer la inspección de mantenimiento. Sin embargo, aquella era la primera vez que él volvía a casa a mitad de una jornada de trabajo, y lo que menos se esperaba era encontrarse a Aurora tumbada en su cama, descalza y con un vestido rojo pasión muy sexy.

—No estaba durmiendo —le aclaró, antes de que dijera nada.

—¿Y qué estabas haciendo entonces?

—Fantaseando —contestó Aurora, como si para ella fuera lo más normal del mundo.

De hecho, no se mostró azorada en absoluto, no se apresuró a incorporarse, ni tampoco se disculpó.

—¿Con qué? —inquirió Nico con voz ronca.

No debería seguirle el juego; debería reprenderla... o largarse de allí, porque el modo tan seductor en que estaba mirándolo implicaba peligro.

—Con mi marido —dijo Aurora—. Mi futuro marido.

—¿Y cómo es?

—Tiene barba —contestó ella.

—¿Barba?

–Sí. Y cuando llega a casa temprano para darme una sorpresa, se ríe cuando me encuentra leyendo en la cama con la casa hecha un desastre.

–¿Y dónde estaba? –le preguntó Nico, dando por hecho, no sin cierta arrogancia, que estaba hablando de él, y de la vida que podrían haber podido tener si se hubiera quedado en el pueblo–. ¿Trabajando en los viñedos?

–No –replicó Aurora, sacudiendo la cabeza–. Es bombero.

–Pues creo recordar que una vez dejaste colgado a un bombero para volver a mis brazos –apuntó él, sin poder contener una nota de posesividad en su voz.

–Eso fue solo sexo. Te estoy hablando de mi marido.

–Ah, claro, de ese que se ríe cuando te encuentra leyendo en la cama.

–Al principio no –replicó ella–. Al principio se hace el enfadado. Y me da unos azotes –añadió, alzando la vista hacia él con una sonrisa pícara.

–¿Esas son tus fantasías sexuales? –murmuró él, fingiéndose aburrido–. ¿Que un barbudo llega a casa y te da unos azotes?

–Puede… –dijo ella encogiendo un hombro–. ¿Y tu esposa?, ¿cómo sería?

–Ya te lo dije una vez, pero te lo diré de nuevo: no pienso casarme.

–Pero si te casaras, ¿cómo sería? –insistió ella–. Venga, Nico, no es más que un juego.

A Nico no le gustaban los juegos.

–Anda… Cuéntame cómo sería –le pidió Aurora.

–Sería callada –dijo Nico, claudicando finalmente–. Poco exigente.

—Vaya, qué bien.

—Y nunca me la encontraría leyendo un libro en la cama a media mañana.

—Parece bastante aburrida. De hecho, seguro que te aburre tanto que ni te molestas en llegar pronto a casa para hacerle el amor.

—¡Exacto! —dijo Nico—. Nunca me siento excitado cuando cuelgo el teléfono después de hablar con ella. No me monta escenas, ni me deja hecho un lío. Y cuando estoy trabajando no me molesta.

—Qué considerada… —se burló Aurora.

—Y no me encuentro con cincuenta llamadas perdidas en el móvil, ni mensajes de texto preguntándome dónde estoy. Ni me acusa diciéndome: «Nico, esta mañana no hicimos el amor…» —dijo él remedándola. Estaban adentrándose en aguas peligrosas—. Es más, cuando vuelvo tarde ni siquiera me pregunta dónde he estado, sino que acepta que soy un hombre ocupado.

—¡Qué comprensiva! —se burló ella de nuevo—. ¿Y cómo es el sexo?, ¿lento y aburrido?

—Yo en la cama soy cualquier cosa menos aburrido. Pero sí, me tomo mi tiempo cuando le hago el amor.

Aurora tuvo que recordarse que tenía que respirar.

—¿Y qué hace, finge el orgasmo con un gritito?

—No, grita mi nombre.

—Eso no me lo creo —replicó ella, sacudiendo la cabeza.

—No solo eso —murmuró Nico, yendo hacia la ventana—. Hasta cierra las cortinas.

Y entonces hizo algo impensable, porque a pesar de que debería volver al trabajo, las cerró. Bueno, no tan impensable, se dijo, porque sabía que así eran las cosas con Aurora: caos y sexo apasionado, discusiones y ardientes reconciliaciones, la clase de drama del que había huido hace años como si tuviera un lobo persiguiéndolo.

Como las pesadas cortinas bloqueaban la luz casi por completo y no le dejaban verla, encendió la lámpara de la mesilla de noche.

—Y entonces, hacemos el amor —murmuró.

— Te has olvidado de apagar el móvil, cariño —le dijo Aurora, poniendo voz de tonta.

Nico levantó la mano y meneó el índice para amonestarla por su pobre imitación.

—Mi esposa no me pediría que lo apagara.

—Es verdad —concedió ella—, pero todos los juegos tienen reglas.

Y por primera vez en su vida, y solo porque era ella quien se lo pedía, Nico apagó el móvil y se prometió que obtendría la venganza perfecta: la haría gritar su nombre. Sus ojos la recorrieron de arriba abajo, haciendo que Aurora se sintiera acalorada y se estremeciera al mismo tiempo.

—Desvístete y métete bajo las sábanas antes de que apague la luz —le dijo Nico.

—No, no apagues la luz —le pidió Aurora, que quería verlo desnudo.

—Pero es que cuando llego a casa ya está oscuro, querida —dijo él, recordándole el juego.

Aurora tragó saliva. Era difícil desvestirse sentada en la cama, y Nico ni siquiera la ayudó con la cremallera que tenía el vestido en la espalda, sino que se limitó a mirarla. Tal vez por los nervios no se le ocurrió sacárselo por la cabeza, y tuvo que levantar las caderas y empujarlo hacia abajo para sacárselo por los pies. Cuando terminó notó que le ardían las mejillas, pero por el esfuerzo, no porque estuviera azorada. La excitaba que Nico hubiera estado observándola en silencio.

Dobló los brazos por detrás de la espalda para desabrocharse el sujetador, y oyó a Nico resoplar tembloroso cuando sus pechos rebotaron al quedar libres. Le dolían los pezones de lo tirantes que se le habían puesto. Cuando vio que Nico iba a quitarse el cinturón lo detuvo diciéndole:

—Espera, no he terminado. Yo también quiero ver cómo te desvistes.

Tragó saliva, se bajó las braguitas e iba a meterse bajo las sábanas cuando él le dijo con voz ronca:

— ¡*Fermare!*

«¡Espera!, ¡detente! No tapes aún tu cuerpo». Todo eso quería decirle Nico con esa única palabra. Porque aquella tórrida noche, años atrás, no había podido mirarla como habría querido hacer. Sus ojos descendieron por la piel aceitunada de Aurora, se detuvieron en los oscuros pezones, que parecían estar llamándolo, como la luz de un faro, y en el vello púbico que cubría el delta entre sus muslos.

Tuvo que controlarse para no lanzarse sobre ella y hacerla suya en ese mismo instante, y se admiró de su propio autocontrol mientras se quitaba la chaqueta, aunque la impaciencia había hecho que su respiración se tornara entrecortada.

Dejó caer la chaqueta al suelo y se despojó de los calcetines y los zapatos. Cuando se quitó también la camisa, Aurora lo miró con avidez: su ancho torso, el vello que lo cubría, los largos brazos, tan fuertes como si trabajaran en los viñedos… Contuvo el aliento mientras veía como se quitaba el resto de la ropa.

Aurora se metió bajo las sábanas y se puso de espaldas a él. Nico apagó la luz y se metió también en la cama.

—¿Estás despierta, cariño? –le susurró en la oscuridad.

—Sí —contestó ella, volviéndose hacia él.

Aurora quería su fuego, quería una pasión salvaje, pero Nico estaba decidido a tomarse su tiempo. Quería darle lo que no le había dado en su primera vez: besos lentos y profundos en la cama, en vez de sexo apresurado en un sofá.

—Debería haber sido más tierno contigo aquella vez…

—No —replicó ella en un susurro—. Fue perfecto como fue.

El lento y sensual beso de Nico la hizo sentir mareada. Cuando despegó sus labios de los de ella quiso protestar, pero entonces volvió a besarla con la misma dulzura, acariciándole la lengua con la suya, haciéndola estremecer por dentro, y se dejó llevar, disfrutando de aquel instante.

—Aquella vez debería haberte seducido —murmuró Nico.

—Y lo hiciste —replicó ella en un susurro, sintiendo que el deseo se estaba apoderando de ella, igual que aquella tórrida noche—. Como lo estás haciendo ahora.

Nico empezó a devorar su boca de nuevo, enroscando su lengua con la de ella, y Aurora subió las manos a su cabeza para enredar los dedos en su corto cabello negro mientras respondía al beso con fruición. Al cabo, los labios de Nico volvieron a apartarse de los suyos para descender hasta su cuello. Un gemido ahogado escapó de la garganta de ella.

—Tómame, Nico…

Él le lamió un pezón, trazando círculos en torno a él con la lengua. Aurora se mordió el labio cuando sopló sobre él, y gimió de nuevo cuando empezó a succionarlo con ansia. Sus caderas se arquearon como si tuvieran voluntad propia y la mano de Nico descendió por su estómago.

—No sabes cuánto te deseo —le susurró.

—Pues entonces no esperes más —le suplicó ella de nuevo.

—Aquella noche fui demasiado rudo contigo.

—No, no… —casi sollozó ella, de pura desesperación—. No lo fuiste.

—Debería haber sido más delicado; era tu primera vez —murmuró, antes de besarla en el estómago—. Debería haberme centrado en tu placer… —añadió, colocando la cabeza entre sus piernas—. Debería haber hecho esto…

Empezó a acariciar su sexo con lentos lengüetazos y la mordisqueó suavemente en sitios que la hacían sonrojar, pero ella volvió a enredar los dedos en su pelo y le dejó hacer. Los gemidos que emitía estaban excitando cada vez más a Nico, pero aún no había conseguido que gritara su nombre. Notó que Aurora estaba tensándose, y aunque alternaba lametones rápidos con otros lentos y sensuales, no paró ni un segundo, decidido a llevarla al orgasmo.

—Nico… creo que voy a… —jadeó ella.

Él sabía que estaba al límite. ¿Cómo no iba a saberlo cuando estaba saboreando el néctar que estaba empezando a derramar su palpitante sexo? Levantó la cabeza y se incorporó.

Ya no tendría que esperar más, la haría suya por fin y acabaría aquel tormento, pensó Aurora, suplicando mentalmente por que así fuese. Pero cuando la penetró, cuando sintió su peso sobre ella, cuando creía que empezaría a moverse con rápidas embestidas y lo había rodeado con las piernas, él se las apartó, le agarró los brazos por las muñecas y se los sostuvo por encima de la cabeza para apoyarse en los antebrazos y comenzar a sacudir las caderas sin prisa.

—Sexo lento y aburrido… —susurró. En la habitación solo se oía el chirriar de los muelles del colchón y su respiración jadeante mientras se esforzaba por mantener el control—. ¿Te estoy aburriendo?

—No…

Aurora estaba ardiendo, derritiéndose por dentro. Nico le soltó las manos y ella le hincó los dedos en los hombros antes de deslizar las manos por su espalda, explorando sus músculos, y cuando llegó a sus tensas nalgas las agarró excitada.

Levantó la cabeza y besó a Nico con ardor para no gemir su nombre, para no decirle cuánto lo amaba. No iba a darle esa satisfacción, y pronto él no tuvo más remedio que darse por vencido porque había empezado a moverse más deprisa y ya no podía más.

Aurora sentía que estaba al borde de la locura.

—No puedo seguir así, Nico… —jadeó—. No puedo fingir que no te deseo…

—No lo hagas —jadeó él—. No dejes de desearme…

Aurora cerró los ojos y sintió como si estallaran fuegos artificiales en su interior cuando el orgasmo la sacudió. Nunca había experimentado nada tan intenso como aquello.

—¡Nico! —gritó, pero tenía la garganta tan seca que su voz sonó ronca, rasgada.

Él gimió, hundiéndose una última vez en ella y se besaron, casi sin aliento. Luego Nico se quitó de encima de ella y se quedaron así, tendidos boca arriba y destapados porque hacía rato que las sábanas habían quedado revueltas a los pies de la cama.

El aire frío era como un bálsamo sobre el cuerpo sudoroso de Aurora. No, hacer el amor así, despacio, no tenía nada de aburrido, pensó. ¿Estaría arrepintiéndose Nico ya de que hubiera ocurrido?, se preguntó. Probablemente ella sí se arrepentiría, y no podía dejar de escuchar en su mente el eco de las últimas palabras que había pronunciado: «No dejes de desearme…».

Capítulo 8

IGUE deseándome»… Tendida en la cama, aquellas palabras de Nico se repetían una y otra vez en la cabeza de Aurora. ¿Iba a ser ese su destino?, ¿seguir deseando a Nico toda su vida?, ¿mantenerse disponible para él?

Se estaba desvaneciendo la sensación de contento que se había apoderado de ella después del sexo, y cuando Nico alargó el brazo por encima de ella para alcanzar su móvil volvieron a asaltarla las dudas y esa desesperanza que por unos momentos había olvidado.

—Nico, ¿por qué has vuelto tan pronto de Silibri? —le preguntó.

—Porque terminé lo que tenía que hacer antes de lo previsto, y porque por una vez la visita a mi padre no ha ido mal del todo.

¿No podría haber dicho que había vuelto pronto porque esperaba poder verla?

—¿No puedes concederme ni una pequeña victoria? —le espetó.

No, estaba claro que no, pensó al verlo sentarse al borde de la cama para mirar algo en su maldito teléfono.

¿Qué se suponía que debía hacer? ¿Ducharse, vestirse y volver al trabajo? ¿Y cuando acabara la jornada?, ¿volver a su habitación del hotel y morderse las uñas, preguntándose si Nico la llevaría a cenar fuera, o a bailar, puesto que era su última noche en Roma? Lo más parecido a una cita que habían tenido había sido la copa que se habían tomado juntos en el bar del hotel.

–Nico –le dijo–, me gustaría que esta noche…

–Aurora, para.

«Para de una vez», la increpó Nico para sus adentros, mientras miraba aturdido la interminable lista de llamadas perdidas y mensajes de texto en su móvil. Si hubiera podido elegir, habría preferido estar solo en ese momento. Pulsó un botón para devolver la última llamada.

Cuando la persona al otro lado de la línea contestó, Nico se quedó escuchando en silencio y preguntó con voz trémula «¿cuándo ha ocurrido?». Era la primera vez que Aurora oía que le temblaba la voz. Luego Nico preguntó si alguien había estado con él, y si su padre había tenido algún dolor mientras fallecía. Las lágrimas empezaron a rodar por las mejillas de Aurora.

Nico no dijo nada después de colgar. Aurora se incorporó, poniéndose de rodillas sobre el colchón, y se abrazó a él, rodeándolo con los brazos mientras lloraba y lo besaba en el cuello. No de un modo sensual, sino con ternura.

Nico no podía llorar; no sabía cómo hacerlo.

–Tu madre había ido a llevarle el almuerzo –dijo al cabo–. Llamó al médico para que fuera corriendo. Él le dijo que no había sufrido.

Aurora se bajó de la cama y se sentó a horcajadas sobre su regazo, rodeándole la cintura con las piernas y poniéndole las manos en los hombros. Escrutó su rostro en un intento por calibrar su dolor, pero sus facciones estaban desprovistas de emoción.

—No debería haberme ido —murmuró ella entre sollozos—. Sabía que estaba muy débil…

Sus lágrimas eran sinceras, porque había querido y odiado al viejo bastardo. Había admirado su ingenio, su sentido del humor y la había fascinado su altivez. Lo había odiado por los golpes que habían propinado a su querido Nico esas manos nudosas, y por todos los insultos que le había lanzado.

—Tengo que volver a Silibri —dijo Nico.

Apartó las manos de Aurora, pero ella volvió a aferrarse a sus brazos.

—Espera, Nico…

—Tengo que irme —insistió él, y se levantó, haciendo que Aurora se deslizara de su regazo.

Lo siguió cuando se dirigió al cuarto de baño, pero Nico le cerró la puerta en las narices y ella se quedó allí de pie, aturdida.

Geo había muerto…, pensó con incredulidad. Desnuda como estaba, fue a abrir las cortinas y aunque fuera todo estaba igual, cuando se volvió vio lo cambiada que estaba la habitación, que ella había encontrado ordenada e impoluta a su llegada. Las sábanas estaban revueltas y la ropa de ambos estaba desperdigada por el suelo.

Mientras se vestía le pareció fuera de lugar ponerse aquel vestido rojo cuando el padre de Nico acababa de morir, pero no tenía otra cosa. Como quería ayudar, trató de pensar qué haría Marianna. Prepararle la maleta, por supuesto, se dijo, solo que Nico acababa de llegar y ni siquiera la había deshecho.

–¿Qué estás haciendo? –le preguntó Nico, saliendo del baño con una toalla liada a la cintura, al verla rebuscando en su armario.

–Estoy intentando encontrar un traje negro y…

–Puedo arreglármelas solo.

–Y una corbata negra –terminó de decir ella.

–Aurora, vuelve al hotel; vuelve al trabajo con los demás.

–¿Al trabajo? –repitió ella, volviéndose y mirándolo espantada–. ¿Cómo puedes ser tan egoísta? ¿Piensas que puedo volver al trabajo como si nada?

–Dame un respiro, Aurora. Ahora mismo no puedo ni pensar.

Nico apretó los dientes cuando la vio darle la espalda con las lágrimas cayéndole por las mejillas. Le gustaría que fuese como la calmada esposa sobre la que habían estado bromeando, la que le serviría una copa y lo dejaría a solas para digerir la muerte de su padre, la mujer prudente que aceptaría su silencio y que no exteriorizase su dolor. Si pudiera, le gustaría cerrar las cortinas, meterse de nuevo en la cama con ella, acurrucarse en sus brazos y llorar. Pero las lágrimas simplemente se negaban a acudir a sus ojos.

–Vuelve al hotel, Aurora –le repitió–. Tengo que hacer unas llamadas antes de volver a Silibri.

Aurora asintió.

–Haré la maleta –murmuró. En ese momento empezó a sonarle el móvil. Miró la pantalla, pero no respondió–. Es Pino –dijo–. Se habrán enterado y estarán preguntándose qué hacer –dijo alzando la vista–. ¿Nos reunimos contigo en el hotel?

–¿Perdón? –inquirió él confundido–. ¿Para qué?

–Para volver todos contigo a Silibri, por supuesto.

–Mira, Aurora, lo que queráis hacer es cosa vuestra, pero yo me voy ya.

–¿Vas a hacer que busquemos a toda prisa billetes de avión y de tren, mientras tú viajas solo en tu lujoso helicóptero?

Nico suspiró, dándose por vencido.

–Está bien, iremos todos juntos.

El chófer de Nico le expresó sus condolencias cuando los recogió, y al llegar al hotel los recibieron Marianna y el contingente de Silibri al completo, todos vestidos de negros.

–Nadie está mejor preparado para la muerte que un siciliano –comentó Aurora.

Incluso en medio del dolor lograba hacerle sonreír.

–La realeza también lleva ropa negra cuando viaja –apuntó Nico.

–No siempre –replicó ella, y Nico se rio suavemente.

Aurora subió a su habitación y regresó unos minutos después, duchada, cambiada y sin maquillar. Se había recogido el cabello en un moño, y ella también se había puesto un vestido, medias y zapatos negros. Sí, los sicilianos estaban mejor preparados para la muerte que la mismísima reina de Inglaterra.

Y ninguno había viajado antes en helicóptero, por lo que hubo risas nerviosas y mucho alboroto cuando despegaron. El contingente de Silibri había ido a Roma, pero ahora iban de regreso al pueblo, y llevaban a Nico de vuelta a casa con ellos.

Capítulo 9

–*Condoglianze*…

Una tras otra, todas las personas que habían acudido, le estrecharon la mano a Nico y lo besaron en ambas mejillas tras ofrecerle sus condolencias. Él lo único que quería era que el día acabara y no tener que volver nunca al lugar que tanto dolor le había causado.

Como el último miembro de su familia, estaba solo. Pronto la cola terminaría y casi podría dar por cumplido su deber. Solo quedaba una pequeña recepción en la casa de su padre y luego podría volver a Roma.

–*Le mie più sentite condoglianze* –le dijo Pino cuando le llegó su turno.

–Gracias por todo lo que hiciste por él –respondió Nico.

–*Condoglianze* –le dijo Francesca–. Ya está en paz, Nico.

–Lo sé, gracias.

¿Y él, cuándo estaría él en paz consigo mismo?, se preguntó Nico. Su cabeza en ese momento parecía un campo de batalla.

–Nico… –lo saludó Aurora, que estaba detrás de Francesca.

Y entonces por fin Nico tuvo un momento de paz en medio del caos de aquel día turbulento.

– *Condoglianze* –murmuró, dándole la mano.

–*Grazie* –respondió él, pero no le soltó la mano.

Aurora lo besó en una mejilla y luego en la otra y escrutó su pálido rostro en silencio.

–Mi padre te tenía en mucho aprecio –le dijo Nico.

«Todo lo que hice lo hice siempre por ti, Nico. Sé lo que te hacía tu padre, y lo odiaba por eso. Pero era tu padre y, aunque a veces se me hacía muy difícil, trataba de recordármelo. Cuidé de él como lo habría hecho si hubieras sido mi marido», respondió ella para sus adentros. Pero por supuesto no le dijo nada de eso.

–Yo también lo apreciaba –contestó en un tono quedo.

–Gracias por ayudarme con los preparativos del funeral y todo lo demás –añadió él.

–No tienes por qué dármelas.

Aunque Nico delegaba en su secretaria todo tipo de trámites en el día a día, Marianna no sabía cómo se hacían las cosas allí en Sicilia, así que había sido ella quien había estado a su lado desde que habían llegado, ayudándolo con todo.

Lo había acompañado durante el velatorio, mientras el resto de la gente del pueblo pasaba por allí, se quedaba un rato y se marchaba. Y había estado a su lado cuando Nico le había pedido al párroco que evitara decir en la homilía cosas como que su padre había querido mucho a su madre, o que él había sido un buen hijo.

Ninguna de esas cosas entraba en las tareas de una

secretaria, aunque Aurora tampoco habría sabido decir qué papel desempeñaba en la vida de Nico. Había cuidado de su padre, y había tenido relaciones con él, pero... ¿qué era para él? ¿Otra empleada?

Fuera como fuera, se había desvivido para organizar el funeral, y también se había ocupado con esmero de cada detalle de la recepción en la casa del padre de Nico, como habría hecho una esposa.

Había que hacer más café, le dijo a Chi-Chi, que estaba flirteando con un tipo cuando le había prometido que iba a echarle una mano. Y a la gente que estaba en el extremo del salón hacía rato que no les ofrecían algo de comer, le reprochó también, pero fue ella quien se hizo cargo. Estaba pendiente de todo, yendo de aquí para allá.

A unos metros de ella Nico estaba hablando con Pino y con su mujer, Rosa.

—Quédate esta noche —le estaba diciendo Pino—. Puedes venir a cenar a nuestra casa y quedarte a dormir.

—Sí, vente, Nico —lo instó Rosa—. No vuelvas a Roma esta noche.

Aurora, que estaba charlando con unas personas, vio la tensión en las facciones de Nico y se disculpó con ellos para ir con él.

—Le estábamos diciendo a Nico que puede quedarse esta noche con nosotros —le explicó Rosa a Aurora, cuando esta se unió a la conversación.

—Mi padre también le ha dicho lo mismo —respondió Aurora—, pero Nico tiene que volver a Roma.

—¿Volverás pronto? —le preguntó Pino a Nico.

—Ya veremos.

Aurora apretó la mandíbula al oír la vaga respuesta de Nico. Estaba claro que no sentía que tuviera que darle explicaciones a nadie.

Poco a poco la gente se fue marchando hasta que ya solo quedaron ellos dos. «No hay un lugar más triste que una casa después de una recepción por un duelo, cuando todo el mundo se ha marchado», pensó Aurora.

Volvían a estar a solas, y de pronto Aurora se encontró temiendo que fuera la última vez, que la próxima vez que se viesen su relación sería estrictamente laboral.

Entre los dos recogieron, fregaron, secaron y guardaron todos los platos, los cubiertos, los vasos y las bandejas. No había comida que guardar en el frigorífico. Nico había pedido a las personas que habían llevado algo que se llevaran lo que sobrase.

–Podrías quedarte en el hotel si no quieres pasar la noche aquí –le sugirió Aurora, mirando el sillón, ahora vacío, del anciano gruñón. Se le echaba de menos–. Sé que aún no está funcionando, pero hay suites que ya están…

–Prefiero volver a casa.

Pero si es que su hogar estaba allí, en Silibri…, habría querido replicarle ella. ¿Es que no se daba cuenta?

–¿Cuándo crees que volverás? –le preguntó Aurora.

No había podido contenerse, y rogó por que no fuera tan vago en su respuesta como lo había sido con Pino.

–No lo sé –dijo Nico.

Tenía un ejército de gente que podía ocuparse del papeleo. Y en cuanto a la casa… mandaría a alguien para que la limpiaran y la vaciaran, y ya pensaría qué hacer con ella. En ese momento lo que quería era volver a su tranquila y ordenada vida en Roma.

—Regresaré para la apertura del hotel —añadió.

—Pero para eso aún faltan cuatro meses… —apuntó Aurora.

El temor que la había asaltado antes volvió a apoderarse de ella al comprender que Nico ya estaba dejando atrás Silibri… y a ella también.

—Lo sé.

—¿Y qué harás con la casa?, ¿la venderás?

—Probablemente, sí.

«Deja de hacerme preguntas», habría querido decirle. Tenía la cabeza como un bombo.

—Pero… ¿no crees que estaría bien que tuvieras aquí una casa, como tienes en Roma? Este es tu hogar…

—Te equivocas, Aurora, este nunca ha sido mi hogar.

—No me refería a la casa, sino a Silibri.

—Yo también —le contestó Nico.

Ya no le quedaba ningún familiar allí. Ya no se sentiría obligado a volver por su sentido del deber ni por un sentimiento de culpa. El hotel era lo único que lo unía ya a aquel lugar, y en cuanto estuviese funcionando lo vendería, decidió. Y así al fin cortaría todos sus vínculos con Silibri. Tenía que ser sincero con Aurora.

—Dentro de nada el hotel estará funcionando. Lo supervisaré durante los primeros meses y luego… luego lo venderé.

Para él era demasiado doloroso estar allí. Había hecho todo lo que había podido por la gente del pueblo construyendo aquel hotel, y ahora que su padre había muerto…

–Ya no tengo ninguna razón para volver a Silibri –añadió–. No tengo ni un buen recuerdo de este sitio.

Un gemido ahogado escapó de los labios de Aurora. «¿Ni uno solo? ¿Y qué hay de aquella vez en el sofá? ¿Es que ni siquiera cuenta la noche que te entregué mi virginidad?».

Aurora sintió que le hervía la sangre. Sintió ganas de darle un bofetón para hacerle sentir aunque solo fuera una mínima parte del dolor que le había infligido en ese momento. Pero ella no era una persona violenta. Jamás había comprendido cómo una persona podía golpear a alguien a quien quería, como había hecho su padre.

–¿Ni un solo buen recuerdo? –repitió dolida en un murmullo.

Nico cerró los ojos al darse cuenta de que había cometido una metedura de pata colosal. Habría preferido que le hubiera gritado. Así se habría desencadenado una discusión entre ellos y él habría sentido que tenía una justificación para mandarla a paseo y marcharse. Pero en vez de eso, cuando volvió a abrir los ojos se encontró con que los de Aurora estaban escrutando su rostro con esa misma expresión dolida.

–¿De cuántas maneras más puedes hacerme daño? –le preguntó con amargura.

Su voz sonaba desgarrada, y se había puesto pálida.

–Aurora… Perdona, no debería haber dicho…

–No –lo interrumpió ella–. No te molestes en disculparte, o en intentar encontrar otra manera de decir lo que en realidad querías decir. Al fin he captado el mensaje, el mismo que llevas tratando de hacerme comprender desde hace ocho años: no quieres nada conmigo.

Nico sabía que si intentara refutar esa afirmación empezarían a discutir y acabarían de nuevo en la cama. O quizá lo harían allí mismo, en el suelo del salón, porque lo estomagaba la idea de practicar sexo en la cama de su padre. O quizá se irían a una de las suites del hotel y allí volvería a hacerla suya.

Todos esos pensamientos cruzaron por su mente mientras estaba allí de pie, oyendo en su mente el eco de la amarga acusación de Aurora.

Al ver que él no intentaba rebatirla, ella interpretó su silencio como una confirmación de sus palabras. Lamentaba tantas cosas… pero no lamentaría marcharse en ese momento. No podía derrumbarse delante de él. Hizo acopio de valor e inspiró profundamente.

–Espero que tengas una buena vida, Nico –le dijo, y lo besó en ambas mejillas–. Te deseo todo lo mejor.

Y abandonó la casa, dejando por fin a Nico fuera de su vida.

Capítulo 10

Cuatro meses después

—Nico acaba de aterrizar.

Aurora, que estaba de pie junto al mostrador de recepción, respondió con un asentimiento de cabeza a Francesca.

—Todo está listo.

Habían convocado a la prensa para la apertura oficial del hotel, y ese día recibirían también a los primeros huéspedes, que eran principalmente contactos de Nico, gente de dinero, y algunas personas cuidadosamente seleccionadas del sector turístico. Todos ellos cenarían en el restaurante del hotel esa noche y estrenarían las lujosas suites. Los primeros clientes de verdad llegarían la semana siguiente.

Nico no había regresado a Silibri desde el funeral de su padre, y la idea de volver a verlo no había puesto nunca tan nerviosa a Aurora como entonces.

Pronto volverían a abrir las cafeterías y las tiendas del pueblo que habían estado cerradas en los últimos años. Y no solo para atender a los clientes del hotel, sino también a todo el personal y sus familias.

La vida estaba volviendo a Silibri… y pronto a

Aurora no le quedaría más remedio que marcharse. Estaba embarazada.

En las primeras semanas, después de que Nico se fuera, había estado demasiado enfadada y confundida como para considerar siquiera la posibilidad de que pudiera estar embarazada. Además, había estado demasiado absorbida por el trabajo.

Había empezado a sospechar que algo pasaba el día que habían llegado los nuevos uniformes. Al principio había dado por hecho que había habido una confusión y que le habían dado el uniforme de otra persona. No podía abrocharse la chaqueta y la falda le quedaba demasiado ajustada. Pero al mirar la etiqueta había visto que sí era su uniforme, y había sido entonces cuando había empezado a comprender.

«¡Qué estúpida!», era lo primero que había pensado, mientras intentaba recordar, frenética, cuándo había tenido la última regla. «¡Qué estúpidos!», era lo segundo que había pensado. No habían usado preservativo y, ni Nico le había preguntado si estaba tomando la píldora, ni a ella se le había ocurrido decirle que no estaba tomándola.

Había devuelto el uniforme y ese día llevaba otro de una talla más, aunque ya estaba empezando a notárselo un poco estrecho.

No podía soportar pensar en cómo reaccionaría Nico. Estaba segura de que pensaría que desde un principio le había tendido una trampa, quedándose embarazada para obligarlo a casarse. En Silibri aún estaban chapados a la antigua, y cuando una joven se quedaba embarazada se daba por hecho que tenía que casarse con el padre. Aurora rio con amargura para sus adentros. Nico no quería casarse, y mucho menos tener hijos.

—¿Aurora?

La voz de Vincenzo la sacó de sus pensamientos. Estaba tras el mostrador, repasando la lista de preguntas que podrían hacerles los grupos a los que cada uno iba a mostrar el hotel. Por supuesto él iba a encargarse de Nico y los peces gordos, y a ella le habían tocado las autoridades locales y los reporteros. Tampoco era que le importara; así al menos no tendría que pasarse la hora siguiente rehuyendo la mirada de Nico.

—Me voy al oratorio a esperar a mi grupo —le dijo Vincenzo—. Buena suerte con el tuyo. Si hay alguna pregunta de la prensa que no sepas contestar, diles que me la hagan a mí. Pero recuerda que me voy a las ocho. Mañana tengo que madrugar.

Vincenzo iba a aparecer en un programa de televisión matinal y no podía dejar de mencionarlo.

—Claro, no te preocupes. Estás muy guapo —le dijo ella. El tono tofe de su uniforme le sentaba muy bien.

—Gracias —contestó él, pasándose una mano por el pelo—. Tú también.

Aurora se había recogido el cabello y se había aplicado un maquillaje discreto. Lo que le había costado un esfuerzo considerable había sido disimular los cambios que el embarazo estaba provocando en su figura. Había tenido que soltar un poco la cinturilla de la falda y se había comprado un sujetador especial.

Toda su ropa se le estaba quedando pequeña, y había decidido que al día siguiente, cuando Nico se hubiera marchado, le daría a su familia la noticia. El problema era que ahora estaba allí, en Silibri. ¿Debería decírselo a él también? Era la pregunta que le rondaba la cabeza desde que se despertaba hasta que se dormía.

Y cuando vio a Nico y a sus invitados atravesar el vestíbulo, volvió a hacérsela. ¿Debía decirle al hombre que no quería nada con ella, que estaba intentando cortar todo vínculo con el pueblo y con ella, que iba a tener un hijo suyo? ¿Al hombre que solo la quería en la cama pero no a su lado? ¿Al mismo hombre que le había dicho cuando estaban haciendo el amor que no dejara de desearlo?

Seguía deseándolo, desde luego, porque incluso en ese momento, con él a varios metros de distancia, sintió la fuerte atracción que ejercía sobre ella. Llevaba puesto un traje oscuro, sin duda hecho a medida por su sastre, pero Aurora se fijó en que le estaba un poco suelto. Había perdido peso. No mucho, pero lo suficiente como para que se apoderara de ella un impulso repentino de ir a buscar al chef del hotel, pedirle un plato de pasta y obligar a Nico a que se la comiera. Era la mentalidad siciliana. Pero se contuvo, por supuesto, y se obligó a esbozar una sonrisa.

—Me alegro de volver a verte —le dijo, estrechándole la mano. Esa vez fue Nico quien intentó darle dos besos, como se hacía con los viejos amigos, pero ella levantó una mano para detenerlo—. Creo que Vincenzo os está esperando en el oratorio.

—¿Cómo estás? —le preguntó Nico.

—Estupendamente.

La verdad era que estaba preciosa, pensó Nico. Escudriñó en sus ojos, buscando signos de hostilidad, pero no encontró ninguno. Aurora lo amaba… y él no podía corresponder a ese amor.

—Espera un momento —le dijo. Se dirigió a Francesca y le dio indicaciones para que acompañara al grupo y los llevara al oratorio—. Tengo que hablar contigo —le dijo a Aurora mientras se alejaban.

—¿Sobre qué? —le preguntó ella, con la misma sonrisa forzada.

—En otro momento —le dijo Nico.

Detestaba cómo la había tratado el día del entierro de su padre. Lamentaba con toda su alma el modo en que se había comportado, cómo se había quedado callado cuando ella se había marchado, en un alarde de dignidad.

Y la había echado tanto de menos… Su risa, la pasión que ponía en todo lo que hacía… ¿Cómo podría disculparse con ella por el lío que tenía en la cabeza? ¿Cómo podría explicarle que, si fuera capaz de amar, sería a ella a quien elegiría?

—Pues no sé cuándo podrá ser; tienes una agenda muy apretada —apuntó Aurora.

No quería estar a solas con él. No quería arrojarse en sus brazos, suplicarle que la besara… Y tampoco quería acabar confesándole entre sollozos que estaba embarazada. No, se lo contaría estando al menos a dos metros de él, decidió, porque cuando estaba cerca de él sentía que se derretía, como una figura de cera al sol, y flaqueaba su voluntad.

Nico, sin embargo, no se dio por vencido.

—¿Qué tal esta noche? —le preguntó—. Calculo que sobre las diez estaré libre.

—Pero es que mi jornada acaba a las ocho —dijo ella, fingiendo que lo sentía—. ¿Y si fijamos una hora para reunirnos mañana por la mañana?

–No quiero una reunión de trabajo.

No, lo que quería era sexo, de eso estaba segura. Esa noche iba a alojarse en la Suite del Templo y sin duda no querría pasarla solo. «¡Maldito seas, Nico!».

No, cuando estaba con él no era como una figura de cera; era más como una marioneta, y era él quien manejaba los hilos. Se creía que podía llevársela a la cama cuando quisiera. Y el problema era que, en realidad, podría. Tan grande era el poder que ejercía sobre ella.

Quizá ni siquiera haría falta que le dijera lo del bebé. Tenía las hormonas tan alteradas que en cuanto se quedara a solas con él sería incapaz de resistirse a él, y Nico no tendría más que quitarle la falda para darse cuenta de que estaba embarazada.

Nico vio entonces la ira en su rostro. Le relampagueaban los ojos, y se le habían encendido las mejillas. Sin embargo, no perdió la sonrisa.

–Quiero hablar contigo –insistió.

Sin embargo, tendría que esperar, porque justo en ese momento se acercaba Vincenzo.

–¡Ah, *signor* Caruso! –exclamó este–. *¡Benvenuto!*

–¿Bienvenido? –repitió Nico, frunciendo el ceño–. ¿Qué «bienvenido» ni qué narices?, ¡este hotel es mío!

–¿Qué mosca le ha picado? –le preguntó Vincenzo a Aurora mientras Nico se alejaba furioso.

Aurora se vio en la obligación de decirle una mentira, y se sintió mal por Vincenzo al ver cómo le cambiaba la cara. Pero aquella mentira la ayudaría a mantener la cordura. Y le dio fuerzas cuando Nico no se unió al tour del grupo de Vincenzo, sino al suyo, que empezaba treinta minutos después.

Aurora los llevó primero fuera, a la piscina principal, donde se había devuelto la vida a las termas ro-
manas con una cuidadosa restauración.

–La mayoría de las suites tienen su propia piscina
privada, pero esta es la piscina principal del hotel.
Está situada de manera que no puede verse desde el
hotel.

–¿Y eso por qué? –preguntó un reportero.

–Porque también podrá alquilarse para eventos pri-
vados –contestó Aurora–. Es espectacular cuando se
ilumina de noche. Además, con clientes de tanta categoría como los que esperamos tener, como compren-
derán no queríamos correr el riesgo de que los papa-
razzi pudieran hacerles fotografías.

–Entonces, ¿una pareja podría reservar esta zona
para su uso exclusivo? –preguntó otro reportero.

–Por supuesto –contestó Nico cuando Aurora vaciló.

El sol pegaba ya a esa hora, y había tanta humedad
que Aurora tenía la sensación de que casi no podía
respirar. ¡Qué ganas tenía de quitarse aquella maldita
chaqueta!

–Vayamos dentro –dijo, rehuyendo la mirada de
Nico–. Este solía ser el oratorio, donde los monjes se
reunían para rezar y meditar –explicó al grupo cuando
accedieron a una enorme sala, fresca y en penumbra–.
Los sillares que se han añadido en la restauración
proceden de la misma cantera de la que se extrajo la
piedra con la que se construyó el monasterio. Y toda
esta pared… –murmuró acariciándola con amor–… es
original. En esta parte del hotel nuestros clientes podrán meditar y recibir tratamientos de spa. La hemos

concebido como un lugar en el que huir del mundanal ruido y recobrar la paz interior.

La verdad era que el resultado de la restauración era espectacular. Todas las horas y los millones de euros invertidos en ella habían merecido la pena, se dijo Nico. Hasta su padre había estado de acuerdo. Durante su última visita, en la mañana del último día de su vida, su padre había admitido que él habría vendido aquellos terrenos. «Pero me gusta lo que has hecho», le había confesado a Nico. Y en ese momento, mientras seguía a Aurora con el grupo, se aferró a esas palabras.

Sería incapaz de desentenderse por completo de la gestión del hotel, o de venderlo. Sí, era lo que había dicho el día del funeral, y había creído que de verdad lo haría, pero a medida que el dolor por la pérdida de su padre se iba atemperando, supo que no sería capaz. Aquella era la obra de su vida.

—Y ahora… —dijo Aurora con una sonrisa mientras conducía al grupo por unas escaleras y atravesando un claustro—… los llevaré a mi suite favorita. Y enseguida comprobarán por qué. Esta es la Suite del Templo.

Empujó la pesada puerta de madera y cuando fueron entrando todos se quedaron asombrados. El ventanal de la suite se asomaba a las ruinas del templo romano, y a esa hora del día el sol incidía sobre las piedras dándoles un aspecto casi sobrenatural. No había una vista más espectacular.

—Me crie aquí, en Silibri, y he jugado infinidad de veces en esas ruinas. Creía haberlas visto desde todos los ángulos posibles —les explicó Aurora—, pero hace unas semanas, cuando aún estábamos de obras, me puse un casco para ver cómo avanzaban las reformas y al entrar aquí me quedé sin aliento. Ahora tengo el firme convencimiento de que el monasterio se construyó en este lugar para captar precisamente estas vistas. Es como una visión celestial, ¿no?

Sí que lo era, pensó Nico, solo que él no estaba mirando hacia el ventanal, sino a ella, y las lágrimas contenidas que brillaban en sus ojos. El amor que sentía por aquel lugar era palpable. ¡Cómo deseaba que pudieran estar a solas…! Pero esa noche lo estarían.

Aurora condujo al grupo al inmenso balcón.

—No me digan que cenar aquí fuera, con estas vistas, no sería increíble —dijo Nico.

—Desde luego —asintió Aurora.

—De hecho, yo creo que quien se aloje en esta suite no querrá cerrar nunca las cortinas —añadió él.

Su alusión a cerrar las cortinas recordó a Aurora el día que habían hecho el amor en su casa de Roma, y se preguntó si no lo habría hecho a propósito. «No me hagas esto, por favor», suplicó para sus adentros. «No intentes seducirme en esta habitación que tan especial es para mí, cuando sé que luego acabarías rompiéndome otra vez el corazón, con lo que me está costando recomponer los pedazos…».

Mientras el grupo abandonaba la suite, Nico se quedó atrás para poder tener un instante a solas con ella.

—¿Quedamos aquí sobre las diez? —le preguntó.

Aurora tragó saliva pero no respondió.

—¿Tienes llave? —inquirió él, a pesar de todo.

«No», habría querido responderle ella. «La llave la tienes tú, la de mi corazón. Y sabes muy bien cómo usarla para manipularme según te convenga. Pero ya no puedo más. No pienso aguantarlo ni un día más».

–Tenemos que seguir; la visita aún no ha acabado –le dijo.

Había sido un día agotador, aunque gratificante porque todo había salido a la perfección, pensó Nico, mientras cenaba con sus invitados, aunque él apenas probó bocado. Cuando la cena hubiera acabado, subiría a su suite y cenaría con Aurora en el balcón, con las ruinas del templo de fondo, y le diría lo que quería decirle.

Pasaban unos minutos de las diez cuando por fin logró escaparse. Estaba tan seguro del amor de Aurora por él que al principio no le chocó no encontrarla en la suite cuando subió. Pidió que le llevaran una botella de champán, pasta con salsa de tomate y albahaca, y el postre favorito de Aurora: tiramisú.

Se sentó a esperarla. Le mandó un mensaje al móvil. Llegó el champán y se sirvió una copa mientras la llamaba al móvil, pero Aurora no contestaba. Llegó la cena que había pedido pensando en ella, pero pasaban los minutos y la comida se enfriaba. Encendió el televisor, solo para ver las noticias, seguro de que Aurora llegaría en cualquier momento, y se sirvió otra copa de champán, y luego otra…

La luz del sol lo despertó. Seguía sentado en el sofá y tenía resaca, cosa poco habitual en él. Al oír la risa de Aurora parpadeó, confundido, y paseó la mirada por la suite, hasta darse cuenta de que provenía de la televisión. Allí, en la pantalla, estaba Aurora con su uniforme naranja persa. La habían peinado y maquillado y estaba espectacular.

—La Suite del Templo ofrece algo más que lujo —le estaba diciendo al presentador del programa—; es como un refugio, un lugar en el que sanar las heridas del espíritu, donde puedes descansar y reflexionar sobre las elecciones que has tomado a lo largo de tu vida.

Fue entonces cuando vio que entre los tallos del ramo de flores que había sobre la mesita había una nota. Había visto el ramo al entrar en la suite, por la noche, pero no le había prestado atención porque era una cortesía que tenía el hotel con todos sus huéspedes. Se levantó, tomó la nota y la desdobló. Era de Aurora.

Nico, le he dicho a Vincenzo que querías que representara yo al hotel en la entrevista de ese matinal de televisión mañana por la mañana. Le he mentido, sí, pero mejor eso que seguir siendo tu juguete. Puedes llamar a recepción y pedir que te manden a la suite a una masajista. O, si no quieres que el chismoso de Pino esté al tanto de lo que haces en privado, siempre puedes llamar a una de esas agencias de chicas de compañía para que te manden a alguien que te ayude a forjar otro mal recuerdo de Silibri. Siento decepcionarte, pero mi orgullo se interpuso.

Y Aurora se volvió a reír. O al menos la Aurora que estaba en el programa de televisión lo hizo.

Capítulo 11

QUÉ DIABLO significa esto?
De vuelta en Roma, Nico pensó que tenía que haber un error, y llamó inmediatamente a Vincenzo al recibir la noticia: Aurora había presentado su dimisión. Aurora, que sentía auténtica pasión por el hotel de Silibri, y que había estado ansiosa por que escuchara sus propuestas, había dejado su puesto. Aquello no tenía ningún sentido.

Sabía muy bien que estaba furiosa con él, por supuesto. Y después de que le diese plantón aquella noche él también se había puesto furioso y no había vuelto a intentar hablar con ella, pero el enfado se le había ido pasando, y cuando releía la nota que le había dejado casi sonreía.

—¿Por qué ha dimitido? —exigió saber.

—Le han ofrecido un puesto en otra empresa —balbució Vincenzo.

Parecía bastante sorprendido de que lo hubiese llamado nada más haberle enviado el e-mail sobre la dimisión de Aurora.

—¿Qué empresa?

—No me lo dijo; solo que estaba cansada de que no se tuvieran en cuenta sus ideas.

Eso no era cierto. Si Aurora no le hubiese dado

plantón en la cena la noche anterior, lo sabría. Se despidió de Vincenzo y la llamó al móvil.

—¿De qué va esto, Aurora? —le espetó.

— *¿Scusi?*

Aurora estaba en su dormitorio, en casa de sus padres, esperando a que llegara el taxi que iba a llevarla a la estación. Sus padres no se habían tomado bien lo de su embarazo. Sobre todo porque les había dicho que no sabía quién era el padre. Habían tenido una discusión tremenda.

Nico no se había equivocado cuando había sugerido que probablemente sus padres también la espiaban. Al parecer habían estado cotilleando en su móvil y habían descubierto la app de citas que se había descargado en Roma.

—¿Por qué has dimitido sin hablar primero conmigo? —quiso saber Nico.

—Ya no eres mi jefe —replicó ella—. No tengo por qué darte explicaciones.

—Está bien, pues no me veas como a tu jefe y respóndeme: ¿por qué lo has hecho?

—¿Y cómo se supone que tengo que verte? ¿Como a un amigo? —replicó ella, entre incrédula y enfadada—. Porque amigos no somos. Tú mismo me dijiste que jamás podríamos ser amigos.

—Aurora…

—¿O tengo que verte como a un hombre con el que me he acostado? —lo interrumpió ella—. Teniendo en cuenta todas las mujeres con las que has estado, dudo que vayas pidiéndole cuentas a todas sobre las decisiones que tomen sobre su carrera profesional.

—¡Por amor de Dios!

Aurora lo ignoró.

—¿O se supone que tenemos una relación y no me he enterado? —le espetó—. ¡Ah, no, que me dijiste que no querías una relación! De hecho…

—¡Y tú me dijiste que jamás dejarías Silibri!

—Tenía dieciséis años cuando dije eso. Dime, Nico, ¿es esa la única razón por la que decidiste no casarte conmigo?

Nico se quedó en silencio. Como siempre, ese silencio que se le clavaba en el alma. Le entraron ganas de acurrucarse en la cama y echarse a llorar.

«¡Díselo! Dile lo del bebé. Dile que nunca te has sentido tan sola, ni tan asustada…». ¡No! No iba a hacerlo. Y tenía muy claro por qué.

—Tengo que dejarte, Nico. El taxi llegará pronto.

No era una mentira. Bajó las escaleras. Su maleta estaba junto a la puerta de entrada, y sus padres estaban sentados en el salón, mirando las fotos que el tipo de la inmobiliaria le había hecho a la casa de su abuela, la casa donde se suponía que habrían vivido Nico y ella cuando se casaran. Aurora se puso junto a la ventana, para ver al taxi cuando llegara.

—Lo que no entiendo —les dijo— es por qué habríais estado encantados de que viviera en esa casa con un marido que no me quería, pero preferís venderla antes que dársela a vuestra hija embarazada para que pueda darle un hogar a su bebé.

Lo que pasaba era que querían que el problema desapareciera, y al retirarle su apoyo creían que se vería obligada a entregar a su pequeño en adopción.

«Aurora está muy centrada en su carrera», le mentiría su madre a sus amigas cuando fuera al mercado.

«Y con su nuevo empleo está ganando más dinero del que le pagaba Nico Caruso». Y esperaría que unos meses después ella regresara al pueblo sin ese hijo sin padre que solo traería vergüenza a la familia, y que retomaría su vida como si nada hubiera pasado.

Estaba segura de que eso era lo que estaban pensando, pero conociéndola como la conocían deberían saber que jamás renunciaría a su bebé.

—Has traído la vergüenza a nuestra familia —la increpó su madre—. ¿Cómo podríamos mirar a la gente a la cara cuando ni siquiera sabes quién es el padre?

Aurora se rio con amargura. Aunque les había mentido, en cierto modo era la verdad: ya no sabía quién era Nico. No habían sido pareja, ni eran amigos… Ya ni siquiera era su jefe.

—Cuando nos dijiste que tenías que ir a Roma para recibir formación para tu trabajo, confiamos en ti —le dijo su madre entre lágrimas—. Creíamos que te comportarías como una chica responsable.

—No era una excursión del colegio, *mamma*.

—A tu madre no le respondas así —le advirtió su padre—. Al menos no mientras estés bajo mi techo…

—Ya no lo estaré más —le espetó Aurora. Por fin había llegado el taxi—. Me habéis dicho que me vaya, ¿te acuerdas?

—Porque ni siquiera sabes cómo se llama el padre del niño —le espetó su madre, y apretó los labios, disgustada.

«Díselo. Diles quién es el padre. Dile que quieres a Nico, el padre de tu hijo, con todo tu corazón…». ¡No! No pensaba hacerlo, y también tenía muy claro por qué.

Si se lo dijera, sus padres se quedarían de piedra, y luego vendrían los gritos, pero al final todo serían sonrisas y se mostrarían encantados, porque sabían que Nico haría lo correcto, que se casaría con su hija.

Aurora no lo dudaba. Aunque un siciliano se fuese lejos de Sicilia, seguía siendo un siciliano. Nico renegaba de algunas de sus costumbres, pero la forma de pensar la llevaba en la sangre y se casaría con ella por el bien del niño. Sintió una punzada en el pecho al imaginar su boda, que no sería en absoluto como la había soñado.

Se imaginó a la gente del pueblo sonriendo, vitoreándolos, y hasta se imaginó el gran ramo de novia con el que ocultaría su embarazo... pero solo para las fotos. Porque por supuesto todos sabrían lo del bebé y estarían encantados: por fin Nico Caruso iba a echar raíces allí, en Silibri, donde estaba su sitio.

Y Nico y ella sonreirían y se besarían ante las cámaras, y esa noche dormirían juntos y lo harían porque... bueno, porque sería su noche de bodas. En su imaginación casi podía sentir el resentimiento de Nico mientras le hacía el amor, porque pensaría que habría conseguido lo que siempre había querido. Y él no. Por eso tenía muy claro que no les contaría a sus padres quién era el padre de su hijo.

Capítulo 12

CUANDO el tren se detuvo en Termini, la principal estación de Roma, Aurora no sintió la emoción que la había invadido la última vez que había estado allí. Entonces había llegado con Pino y los demás, ansiosa por recibir la formación para trabajar en el nuevo hotel de Nico. Había sentido como si su carrera por fin estuviese encarrilada.

También había estado deseando ver a Nico. Pero ahora… No sabía por qué había decidido ir a Roma. ¿Acaso tenía la esperanza de encontrarse con él? No, la sola idea la espantaba. ¿O habría ido, sin saberlo, con la intención de decirle que iba a ser padre? No, eso también la aterraba, aunque antes o después tendría que hacerlo.

Iba a alojarse en un hostal de poca categoría, pero solo pasaría las noches allí. Durante el día tenía que volcarse en buscar trabajo. Sin embargo, parecía que los restaurantes a los que iba ninguno necesitaba una camarera. O al menos no una camarera embarazada. Y con las agencias de limpieza pasaba igual.

Un día por fin sus esperanzas se materializaron en una familia con dos niños pequeños. La madre, Luana, estaba muy estresada, y el padre viajaba mucho por su trabajo. Vivían en el distrito del Prati, que estaba muy cerca del de Parioli, donde residía Nico.

—Necesito a alguien que cuide de los niños y que me ayude un poco con la limpieza —le explicó Luana, que fue quien la entrevistó—. Nuestra última niñera se marchó sin avisar.

—Si me dan una oportunidad, no se arrepentirán —le aseguró ella.

Vivían en una casa antigua, muy hermosa. Luana le dijo a Aurora que ella dormiría en el pequeño pabellón de verano al fondo del jardín, que tenía calefacción y cuarto de baño.

Sin embargo, cuando el marido de Luana, que estaba de viaje, había regresado, no se lo había tomado demasiado bien.

—¿Una niñera embarazada? —le había gritado a su esposa, de un modo muy grosero—. ¿Qué diablos…?

—Aurora es estupenda —lo había intentado apaciguar Luana, cerrando la puerta del estudio para que Aurora, que estaba en la cocina, no lo oyera—. Me está ayudando muchísimo con Nadia y Antonio.

Lo había convencido para que no la despidiera, pero a medida que se aproximaban las Navidades y el tiempo se volvía más frío y húmedo, cada vez le parecía más que vivir allí era como vivir en una zona azotada por tornados. En ese momento estaba viendo las noticias en el pabellón de verano, pero no podía dejar de lanzar miradas preocupadas hacia la casa por la ventana.

Pronto el marido se iría de viaje de nuevo y la paz volvería, pero cuando estaba en casa era como si sobre ella se cernieran nubarrones negros.

Un día había visto que Luana tenía un moretón en el brazo y le había preguntado qué le había pasado.

—Me di un golpe con una puerta.

—¿Y la puerta te dejó marcas de dedos? —le había espetado Aurora, tan directa como siempre—. Tienes que dejar a tu marido.

—¿Pero dónde iría? —había gemido Luana—. ¿Y dónde irías tú? Sales de cuentas dentro de dos semanas...

—No te quedes por mí —le había dicho Aurora.

Sin embargo, se le había encogido el corazón ante el pensamiento de encontrarse en la calle cuando le faltaba tan poco para dar a luz.

—Es un buen hombre —había defendido Luana a su marido—. Es solo que tiene mucho estrés por su trabajo.

Por suerte el tornado pasó, y con el marido fuera por negocios los últimos días del embarazo de Aurora fueron muy tranquilos. Fue a la iglesia con Luana y los niños para ver la representación navideña en la que participaba Nadia, y Luana la cuidaba y la mimaba hasta el punto de que una mañana le llevó el desayuno a la cama.

Pero se preparaba una nueva tormenta porque al día siguiente regresaba el marido de Luana.

Esa noche, como Aurora no se encontraba bien, Luana insistió en que se quedara sentada en el sofá y fue ella quien preparaba la cena. Los pequeños estaban sentados con ella.

—Espero que sea una niña —dijo Nadia.

—Pues yo espero que sea un niño —dijo Antonio.

—¿Y tú qué quieres, Aurora? —le preguntó la madre.

–Pues que nazca ya –admitió Aurora–. Estaré contenta con lo que venga, pero estoy deseando tenerlo ya.

–¿Y ya has escogido un nombre?

–Aún no –le confesó Aurora–. No tengo ni idea de qué nombre le voy a poner. Tal vez Nicoletta, si es una niña –murmuró.

Porque era el femenino de «Nicola», el nombre completo de Nico. Nico, Nico, Nico… ¿Cuándo dejaría de pensar en él?, se preguntó, y como una tonta tomó su móvil e hizo una búsqueda con su nombre en Google para ver si había noticias sobre él. ¡Y vaya si las encontró!

Parecía que le estaba yendo muy bien sin ella. En un artículo del mes anterior aparecía en unas fotos con una rubia menudita muy mona, y también había fotos de él con una pelirroja muy guapa que había acudido con él a un evento navideño.

Luana llevó a los niños a la cama y cuando bajó se sentó a charlar con Aurora.

–¿Sabes quién es el padre? –le preguntó.

En otras ocasiones había sacado el tema, pero ella lo había rehuido con evasivas.

–Sí –respondió Aurora. Estaba demasiado cansada para mentir, pero no iba a decirle su nombre–. Y estoy segura de que si lo supiera insistiría en que nos casáramos para hacerse cargo del bebé, pero prefiero estar sola a un matrimonio infeliz.

Luana se echó a llorar, y Aurora la consoló como pudo y estuvieron hablando un rato largo antes de que Aurora regresara al pequeño pabellón del jardín. Sin embargo, se despertó con un dolor en la parte baja de la espalda de madrugada, cuando apenas estaba empezando a amanecer. Dio varias vueltas en la cama, intentando sin éxito volver a dormirse, y acabó por levantarse. Estaba paseándose de un lado a otro cuando se le ocurrió que quizá el dolor no se debiera solo a lo avanzado que estaba su embarazo.

Fue a la casa y puso a calentar agua para hacerse una tila. Mientras esperaba, se apoyó dolorida en la encimera y, mirando el cielo a través de la ventana, admitió para sus adentros la verdadera razón por la que no había contactado con Nico. Estaría dispuesto a casarse con ella, por supuesto, pero jamás la amaría.

Vivirían en Silibri, pero él pasaría la mayor parte del tiempo fuera, y sin duda esperaría que aceptase de cuando en cuando algún que otro encuentro amoroso. Pero ella no soportaría estar en un segundo plano de su vida. De hecho, le hervía la sangre solo de imaginarlo con otras mujeres, y no, de ninguna manera se quedaría a un lado, callada y digna. Un gemido de espanto escapó de su garganta al imaginarlo.

—¿Aurora?, ¿estás bien?

Era Luana, que había aparecido en la puerta de la cocina.

—No… —murmuró ella—. No puedo hacer esto yo sola…

Estaba aterrada, y estaba embarazada, y amaba tanto a Nico que le dolía el corazón.

—No digas bobadas; eres una mujer fuerte y… —dijo Luana yendo hacia ella. Se paró en seco a un par de pasos al ver un charco en el suelo—. Aurora, creo que tu bebé ya viene —dijo agarrándola por el brazo. Había roto aguas.

Aurora sacudió la cabeza.

—No estoy preparada...

Pero el bebé sí estaba preparado para salir. Luana hizo que los niños se levantaran y se vistieran y se fueron en su coche con Aurora al hospital.

Iba a dar a luz y el hombre al que amaba no estaba a su lado, pensó Aurora angustiada mientras la llevaban al paritorio. Sin embargo, prefería estar sola a humillarse y aceptar sus migajas, aunque esas migajas fueran que estuviera dispuesto a casarse con ella y a proporcionarles a su hijo y a ella una vida con todo tipo de lujos.

—¡Le odio! —gritó, hincándose los dedos en los muslos, mientras empujaba.

—Deje de gritar y empuje con más fuerza —le dijo el médico.

Pero Aurora lo ignoró y siguió despotricando contra Nico.

—¿Que no quiere ataduras? ¡Pues que se meta su libertad donde le quepa! —chilló—. Me irá mejor sin él.

La comadrona sonrió.

—Pues claro que sí —le dijo—. ¡Ánimo, Aurora!, ¡utiliza esa ira para empujar! ¡Vamos!, ¡un empujón más!

Aurora empujó con todas sus fuerzas y el bebé salió. Oyó su llanto, y cuando se lo acercaron para que lo viera la furia que sentía se disipó y la arrolló una ola del amor más puro.

Era un niño con el pelo negro y rizado, unos ojos castaños enormes y un hoyuelo en la barbilla. Era como una mezcla perfecta de Nico y de ella. Lo besó y se rio, pensando que ni a su familia ni a nadie del pueblo les haría falta preguntar quién era el padre.

—Es precioso —dijo entre sollozos.

Jamás hubiera imaginado que el amor que sentiría por su hijo sería algo tan inmediato y tan intenso. Aquel pequeñín hacía que se le olvidaran todo el dolor y el miedo.

Luana y los niños fueron a verlos cuando la pasaron a planta.

—¡Es guapísimo, Aurora! —exclamó Luana al tomar en brazos al bebé—. ¿Ya sabes cómo lo vas a llamar?

—Gabriele —respondió Aurora.

Había estado leyendo en Internet acerca del significado de distintos nombres, y «Gabriele» significaba «la fortaleza de Dios». Ninguno le parecía tan apropiado como ese porque Dios le había dado fuerzas todos esos meses.

—¿Ya se lo has dicho a tu familia? —le preguntó a Luana.

—Todavía no —respondió Aurora. Podían esperar.

—Pero…

—Solo quiero hacerme un poco a la idea de ser madre —la interrumpió Aurora—. Quiero pasar algo de tiempo con mi bebé y sentir que tengo la situación bajo control. Necesito recuperar la confianza en mí misma.

Gabriele trajo consigo una bendición inesperada. El día que iban a darle el alta Aurora tuvo una pequeña hemorragia posparto, y tuvo que quedarse en el hospital unos días más, así que la Navidad había terminado cuando regresó a casa de Luana con el bebé, y el marido de esta se había marchado de viaje de negocios de nuevo.

Fueron unos días maravillosos. Las dos primeras

semanas pasaron en un abrir y cerrar de ojos. El pequeño era muy tranquilo y Aurora estaba tan enfrascada en el cuidado de su bebé, que apenas se dio cuenta cuando volvió el marido de Luana.

Al poco este se marchó a Sudáfrica un par de meses. Luana estaba feliz, y Aurora se sentía muy afortunada de haber encontrado a aquella buena mujer, que le había dado un trabajo con el que podía mantener a su bebé.

Un día, cuando Gabriele tenía ocho semanas, Aurora había llevado a la pequeña Nadia al colegio y volvía empujando el carrito con Antonio saltando alegremente a su lado.

—Hoy vamos a hacer lasaña —le dijo al niño.

—¿Y podré aplastar la masa con el rodillo? —preguntó Antonio.

—Pues claro —le dijo ella—, pero tienes que aplastarla hasta que quede muy fina. Espero que no me digas a los cinco minutos que estás aburriéndote y quieres irte a jugar, como la última vez.

Mientras Antonio la ayudaba a hacer la masa y Gabriele dormía en su capazo, Aurora se sentía tan en paz que decidió que en cuanto llegara su día libre llamaría a Nico. «No, lo llamaré mañana mismo», se dijo. Y si aceptaba reunirse con ella para hablar, se llevaría a Gabriele con ella, para que lo conociera.

En ese momento entró Luana en la cocina.

—Pareces contenta —comentó al encontrarla tarareando una canción.

—Lo estoy —dijo Aurora, pero al ver la tensa expresión de Luana se preocupó—. ¿Estás bien?

—Claro —respondió Luana, esbozando una sonrisa

igual de tensa–. Es solo que… mi marido acaba de llamar. Vuelve un poco antes de lo previsto.

–¿Cuándo? –le preguntó Aurora, con un nudo en la garganta.

–Esta noche.

–Ah. Pues menos mal que estoy haciendo mucha lasaña –murmuró Aurora.

El marido de Luana era todo sonrisas cuando llegó y se mostró tan agradable con todos que cualquiera habría dicho que era un hombre completamente distinto. Aurora llevó a Nadia y Antonio a la cama, y cuando volvió a bajar el matrimonio estaba sentado a la mesa y Luana estaba sirviendo la lasaña.

–Siéntate y come con nosotros –le dijo el marido.

–Os lo agradezco, de verdad –rehusó Aurora con una sonrisa–, pero tengo que acostar a Gabriele. Que paséis buena noche.

No era que estuviese evitándolo. La verdad era que quería retirarse para descansar y pensar qué le diría a Nico cuando hablara con él. No sabía cómo abordar la cuestión. No podía soltarle un «Nico, hay algo que no te he dicho», ni un «Nico, esto va a ser una sorpresa para ti».

Al final acabó quedándose dormida, sin haber decidido cómo le daría la noticia, y la despertó el llanto de Gabriele a las dos de la madrugada.

–Eh… Ya está, ya está… –lo tranquilizó, mientras le daba su biberón.

No le importaba que la despertase en mitad de la noche; le encantaba darle el biberón y oír los ruiditos que hacía el bebé mientras succionaba y cómo agarraba con sus manitas regordetas la mano con que ella sujetaba el biberón. No había nada más maravilloso que tener a su hijo en brazos en la calma y el silencio de la noche.

Sin embargo, esa noche el mundo no estaba en paz y en silencio. Había una luz encendida en la casa. Luana y su marido debían estar levantados. ¿Estarían discutiendo? A Aurora se le encogió el corazón. Volvió a poner en su cunita al bebé, que estaba quedándose dormido otra vez. Debería meterse en la cama, se dijo, aquello no era asunto suyo.

Pero empezaron a oírse golpes y gritos y cambió de opinión. ¿No debería llamar a la policía? Eso habría sido lo más sensato, pero Aurora era impulsiva y toda corazón, y se sentía incapaz de quedarse allí, de brazos cruzados…

Capítulo 13

Roma

La hermosa vista nocturna de la ciudad desde su helicóptero no le subió el ánimo a Nico, ni sintió alivio alguno de estar de vuelta cuando se bajó del aparato. Le sorprendió encontrar a su chófer habitual esperándolo. Era el marido de su empleada de hogar, y esta le había pedido unos días libres para los dos.

—Creía que os ibais de vacaciones —observó—. ¿Cómo es que la agencia no ha mandado a un sustituto en tu lugar?

—Es mañana cuando me marcho, señor.

Nico miró su reloj.

—Bueno, falta poco para la medianoche, así que técnicamente ya es mañana.

—Tal vez. Pero siempre es mejor que al regresar lo reciba a uno una cara conocida y no un extraño, ¿no? —replicó su chófer—. ¿Qué tal el viaje?

—Bien —respondió Nico—, ha ido bien.

El hotel de Silibri estaba funcionando muy bien y era maravilloso ver que la vida estaba volviendo al pueblo. Pero se le hacía raro que Aurora ya no estuviese allí.

Al llegar, le deseó al chófer que disfrutase de sus vacaciones y entró en la casa. Dejó la maleta en el vestíbulo y se fue directamente al piso de arriba. Se quitó la ropa, se dio una ducha y se metió en la cama. Aunque estaba cansado, no lograba conciliar el sueño.

Hacía meses que no veía a Aurora, pero no podía dejar de acordarse de la última conversación que habían tenido. ¿Por qué diablos no podía pasar página? Ella lo había hecho. Como durante tanto tiempo había esperado que hiciese. Necesitaba una distracción para no pensar en ella. Encendió la luz y se bajó de la cama para tomar un libro del estante que tenía junto a la cama. Al ver uno con un título en el lomo que no le sonaba de nada, frunció el ceño y lo sacó. Al ver la portada e imaginar quién lo había puesto allí se rio, pero luego se dejó caer en la cama y arrojó el libro sobre la mesilla con un suspiro triste.

Apagó la luz, cerró los ojos, y se quedó tendido en la penumbra, pensando. Su chófer tenía razón: era agradable encontrarse con una cara conocida al llegar. Aurora siempre había sido esa cara que se alegraba de ver al llegar a Silibri, a pesar de que intentara rehuirla. Pero ahora que ya no estaba, cuando volvía a Silibri era como si una mano invisible la hubiese borrado.

Su padre apenas la mencionaba, y su madre solo hablaba de su nuevo e importante trabajo, y de que estaba demasiado ocupada como para ir siquiera de visita por allí. «Pero quizá un día de estos…», le había dicho.

Nico abrió los ojos de sopetón. Recordaba haber oído unas palabras años atrás, parte de un código de silencio impuesto cuando la hija de Pino había dejado los estudios de repente para irse a cuidar a una tía suya en Palermo. Había regresado unos meses después, pálida, muy delgada y unos ojos tristísimos. Pero era imposible que Aurora…

Se incorporó. Si Aurora estuviera embarazada, se lo habría dicho. ¿O no? Repasó mentalmente una y otra vez su última conversación con ella, sin conseguir hallar ninguna pista. Pero entonces recordó que justo antes de colgar ella le había dicho que estaba esperando un taxi. Su padre tenía coche. ¿Por qué iba a dejar Bruno que su hija se fuese a la estación en taxi en vez de llevarla él? Solo se le ocurría una razón…

El corazón le martilleaba contra las costillas. Su primer impulso fue alcanzar su móvil de la mesilla y llamarla, pero era muy tarde, y podría ser que ella no contestase. Y aunque contestara a su llamada tal vez no querría decirle nada. Sí, sería mejor que esperase a mañana. Solo le quedaban unas cuantas horas sin dormir por delante…

Esa mañana Roma no le parecía tan bonita a Aurora. Aún no había amanecido del todo y hacía muchísimo frío. Solo llevaba al hombro una bolsa de tela con lo esencial, lo que le había dado tiempo a meter en ella en su marcha apresurada. Pero tenía consigo a su bebé, se dijo, acunándolo en sus brazos. ¿Qué podía hacer?

No quería llamar a Nico en una situación así, tan desesperada. Habría querido estar sosegada para decirle que había tenido un hijo suyo, pero las circunstancias le habían arrebatado la posibilidad de decidir.

Pero… ¿y si su número de teléfono había cambiado, o si había bloqueado el de ella en el móvil? ¿Y si había seguido su consejo y había empezado a apagar el móvil por las noches? Se sintió aliviada cuando al tercer tono contestó.

—¿Aurora?

—Nico, siento llamarte a estas…

—¿Dónde estás?

—Sentada en un banco en el distrito del Prati —le explicó ella, y le dio el nombre de la calle y el número del edificio que tenía detrás.

—Voy para allá. No tardaré más de diez minutos —dijo Nico—. ¿Qué ha ocurrido?

—No quiero hablar de eso —respondió ella. Inspiró profundamente—. Pero hay algo que tengo que decirte antes de que llegues. No estoy sola; tengo un bebé conmigo.

—Está bien. No te muevas de donde estás. Estaré ahí enseguida.

Aurora colgó, aliviada y sorprendida de que Nico no le hubiera hecho ninguna pregunta al mencionar a su bebé. Minutos después veía acercarse un coche que aminoró la velocidad hasta detenerse. De él se bajó Nico. Cuando llegó junto a ella, Aurora abrió la boca para decir algo, solo que no sabía qué decir.

—Aquí no —la interrumpió Nico—. Ahora no.

Se quitó el abrigo y los envolvió a ella y al pequeño con él antes de conducirla al coche. Cuando llegaron a la casa, Nico la llevó al salón e hizo que se sentara en el sofá.

—¿Qué necesita…? —comenzó a preguntarle, pero vaciló y le preguntó—: ¿Es un niño o una niña?

–Un niño –respondió Aurora–. Se llama Gabriele.

–¿Qué necesita Gabriele? ¿Pañales, leche…?

A Aurora se le llenaron los ojos de lágrimas mientras le contestaba:

–De todo. Solo pude meter algunas de sus cosas en esta bolsa…

–Llamaré a Marianna –le dijo Nico, y ella supuso que esa era su solución habitual a cualquier molestia que le surgiera–. ¿Qué ha ocurrido?

–Ya te lo he dicho; no quiero hablar de eso.

–Pero tienes un moretón en la mejilla.

–No fue… no lo hizo a propósito –balbuceó ella. Nico apretó los labios, como hacía cuando estaba perdiendo la paciencia–. Está bien, te lo contaré.

Se lo explicó todo: el trabajo que había encontrado, lo maravillosa que había sido Luana con ella… Al hablarle del marido, vio que la mandíbula de Nico se tensaba.

–Las cosas iban bien cuando él no estaba, pero… –murmuró Aurora–. Estaba desesperada, Nico; no tenía otra salida. Por eso me quedé –se defendió–. Pero esta madrugada, a eso de las dos, estaba volviendo a acostar a Gabriele en su cuna después de darle el biberón. Me habían alojado en un pabellón que tienen en el jardín y…

–¿En pleno invierno?

–Tiene calefacción, y estábamos muy bien allí. El caso es que vi luz en la casa y empecé a oír golpes y gritos y… –Aurora tragó saliva–… decidí intervenir –al ver que Nico se quedaba callado, añadió–: No podía quedarme de brazos cruzados.

–O sea que atravesaste corriendo el jardín en mitad de la noche, que supongo que estaría cubierto de nieve, y entraste en la casa para enfrentarte a un hombre furioso… ¿Te golpeó?

–No… ¡no! –replicó ella–. Estaba intentando apartarlo de su esposa y me dio un empujón. Me dijo que ya no era bienvenida en su casa, que había provocado que tuviera problemas con su mujer. Volvió a empujarme y me caí –sacudió la cabeza–. Pero no quiero seguir hablando de esto.

–Está bien –dijo Nico–. No quiero que te agotes, pero luego tendrás que volver a contárselo a la policía.

–Pero es que no quiero hablar con la policía…

–¿Prefieres que vaya a ver a ese tipo y lo mate?

–Nico, solo es un moretón…

–Por eso la policía tiene que fotografiarlo ahora que aún es visible. Y tienes que darles todos los detalles de los hechos ahora que aún están recientes. Porque si no… iré allí y lo mataré –repitió.

–Nico, no quiero causar más problemas. Solo quiero olvidar todo esto y…

–Nunca lo olvidarás –la interrumpió Nico–. Ni tampoco Luana y los niños –añadió–. Lo sé por experiencia propia. Ignorar y negar la situación no hará que mejore. Hay que afrontarla.

Nico llamó a la policía, que se personó allí unos minutos después. Tomaron una declaración detallada a Aurora e hicieron fotografías del moretón en su mejilla. Cuando hubieron terminado, Aurora les preguntó si le ofrecerían algún tipo de protección a Luana, pero fue Nico quien contestó.

–Está bien. He enviado a alguien para que los recoja a los niños y a ella y los lleve a mi hotel.

Después de que la policía se hubiera marchado, Aurora se volvió hacia Nico y le dijo:

–No tenías por qué hacer eso.

–Lo he hecho porque quería hacerlo –dijo Nico–. Me aseguraré de que no les falte de nada y mis abogados ayudarán a Luana –al ver a Aurora fruncir el ceño, contrariada, añadió–: Ella te acogió cuando lo necesitabas y… –no terminó la frase–. Es igual. Ahora lo que necesitas es acostarte y descansar.

–Pero no tengo dónde acostar a Gabriele –replicó ella–. Está dormido y no me atrevo a acostarlo en la cama conmigo; me da miedo moverme en sueños y aplastarlo –le explicó. Pero sí que estaba cansada; estaba agotada. Era como si la adrenalina que la había mantenido alerta hasta ese momento se hubiese esfumado de repente ahora que estaba a salvo–. A lo mejor podríamos usar un cajón a modo de cuna. O si tuvieras una caja grande…

–O podría quedarme sentado en un sillón con él en brazos mientras tú duermes –propuso Nico.

Aurora se quedó dudando.

–Eso es mejor que acostarlo en una caja, ¿no? –insistió él–. Anda, deja que me ocupe de él.

Aurora pasó a Gabriele a sus brazos. Nico lo sostenía con algo de torpeza.

–Tienes que sujetarle la cabeza. Así –le explicó ella, colocándole bien los brazos–. Y si se despierta, tengo dos biberones en la bolsa. Debería ponerlos en la nevera…

–Ya lo haré yo. Vete a la cama, Aurora.

—¿A qué cama? —inquirió ella, sonrojándose al hacer la pregunta.

—A la cama en la que concebimos a Gabriele.

Una respuesta tan directa… le había quedado muy claro que Nico no tenía la menor duda de que el bebé era suyo. No sabía cómo se sentía al respecto, pero sentía un alivio tremendo ahora que por fin lo sabía. Igual que fue un verdadero alivio para Aurora cerrar tras de sí la puerta del dormitorio y quedarse a solas.

Vio que la cama estaba deshecha. Normal; Nico debía estar durmiendo cuando lo había llamado. Al descubrir sobre la mesilla la novela romántica que había dejado en el estante de la pared se le dibujó una sonrisa en los labios. Nico debía haber estado leyéndola… o cuando menos la había encontrado.

Se sintió en la gloria mientras se daba una ducha, y a falta de un camisón le tomó prestada a Nico una camisa que colgaba del respaldo de una silla y que debía haberse quitado la noche anterior. Olía a su colonia. Justo acababa de meterse en la cama cuando se abrió la puerta y apareció Nico, que en un brazo sostenía a su hijo, que aún dormía, y una taza en la mano libre.

—Es leche caliente con cacao —dijo tendiéndosela—. He llamado a Marianna. Se encargará de comprar lo imprescindible para el bebé y de buscar a una niñera.

—No necesito una niñera.

—Pues yo sí.

—Ah, claro, con esa vida social tan ajetreada que tienes… —murmuró ella, mirándolo con los ojos entornados—. Todas esas fiestas y visitas al teatro…

–Eso fue en las vísperas de Navidad –respondió Nico–. Tuve que asistir a una serie de eventos por compromisos de trabajo.

–Lo sé; vi las fotografías en la prensa –contestó ella, que seguía mirándolo fijamente.

Nico le sostuvo la mirada.

–Te dejaré para que descanses –le dijo. Ya estaba llegando a la puerta cuando se volvió–. Una cosa más… lo que dijiste antes de que no tenías otra salida, no es verdad.

–O sea, que si me hubiera presentado aquí embarazada de ocho meses con los tobillos hinchados…

–Ya conoces la respuesta –la interrumpió él–. No es verdad que no tuvieras otra salida –le reiteró. Y salió, cerrando tras de sí.

Aurora durmió un par de horas y cuando se despertó vio una cuna junto a la cama y sintió el peso del brazo de Nico en torno a su cintura. No se había metido bajo las sábanas; estaba echado detrás de ella, sobre el edredón y por su respiración suave y acompasada parecía que estaba dormido. Según el reloj de la mesilla era casi la una y media de la tarde. Aurora apartó el brazo de Nico y se sentó al borde de la cama para mirar dentro de la cuna. Al ver a su hijo dormido, una sensación de paz la invadió.

Oyó a Nico moverse detrás de ella. Debía haberlo despertado.

–Parece que Gabriele quería estar contigo –le dijo soñoliento–. Trajeron la cuna hace un par de horas y la monté en el salón. No había forma de que Gabriele

se durmiera, pero cuando la subí aquí y volví a me-
terlo se quedó dormido enseguida.

—Ni siquiera te he oído entrar.

—Estabas durmiendo como un angelito. Vuelve a
acostarte. Aprovecha y descansa un poco más ahora
que se ha dormido.

—No, ya estoy despierta —dijo Aurora—. Y tengo
hambre.

Sin embargo, la verdad era que se sentía incómoda
allí con él. Estaba nerviosa por la conversación que
sabía que iban a tener antes o después, y no sabía
cómo debía reaccionar cuando Nico le propusiera,
como sabía que lo haría, que se casaran.

Antes habría preguntas y acusaciones, pero luego
vendría esa inevitable proposición de matrimonio.
Sabía que con la mirada le espetaría: «¿Estás contenta
ahora que tienes lo que querías?». Pero no, no lo estaría, porque ella jamás había querido forzarlo a hacer
algo así solo porque le parecía que era su deber.

—Dentro de una hora traerán la comida —dijo
Nico—. He pedido al hotel que traigan un almuerzo
para dos —le explicó—. Y Marianna vino antes con un
montón de cosas para Gabriele. Ah, y la niñera está de
camino y se ocupará del bebé por la noche.

—No.

—Aurora, si estás agotada…

Y lo estaba, pero no por darle el biberón a su hijo
de madrugada, ni por el drama entre Luana y su marido. Estaba cansada de los ocho años que había pasado intentando conquistarlo y olvidarse de él.

Aurora se dio una ducha, volvió a ponerse la ropa
con la que había llegado y bajaron al salón. Al rato

llamaron al timbre, y mientras Nico iba a abrir, Aurora se quedó allí sentada, a la defensiva. Esperaba encontrarse a una mujer brusca y estricta, pero quien apareció fue una señora mayor con aspecto de abuela adorable, que la abrazó como si la hubiera criado y que se prendó del pequeño Gabriele en cuanto lo vio.

Entretanto llegó la comida, y mientras la niñera se quedaba con el bebé para que este se fuera haciendo a ella, Aurora y Nico almorzaron: *risotto* con setas y un delicioso osobuco con una sala de vino y especias.

—Perdona que me haya presentado así en Roma, de repente —se disculpó con Nico cuando empezaron a comer.

Nico sacudió la cabeza.

—Me alegra que acudieras a mí. Aunque querría que lo hubieras hecho antes.

—¿Y qué habrías hecho?

—Para empezar darte un alojamiento mejor que un pabellón en el jardín en pleno invierno.

—Nico, no empieces… —le pidió ella—. Me costó mucho encontrar un trabajo en mi estado. Además, es culpa mía. Estoy segura de que piensas que te he tendido una trampa.

—¿Acaso he dicho yo eso?

—No estaba tomando la píldora.

—Y yo no usé preservativo.

—Pero creías que estaba tomando la píldora…

—Aurora, soy arrogante, sí, pero no tanto como para esperar que hayas seguido tomando anticonceptivos por mí por lo que pasó una noche hace cuatro años —le espetó él—. Ese día, cuando volví de Silibri, Marianna me dijo que te había mandado aquí por lo de la inspección del balcón. Al llegar y encontrarte en mi dormitorio, los dos flirteamos, y cuando lo hicimos estaba tan excitado que en ese momento no estaba para pensar en anticonceptivos, ni en preservativos ni en nada. Así que no, no pienso que me tendieras una trampa ese día.

–Gracias –musitó ella.

–Y una cosa más –dijo Nico–: mi intención es que no haya sexo entre nosotros hasta que no hayamos hablado de todo esto, pero… quizá deberías empezar a tomar la píldora otra vez, porque habrá momentos, como ahora, en que, si no me detuvieras, sería capaz de hacerte el amor aquí mismo, aunque fuera en el suelo.

Aurora se sonrojó.

–Ya he empezado a tomarla.

–¿Por qué? –inquirió él, frunciendo el ceño.

–Porque… sean cuales sean nuestros sentimientos, parece que siempre acabamos en la cama.

–Sí, eso parece –asintió Nico, y tomó un buen trago de vino tinto–. Pero ahora… tenemos muchas cosas que aclarar.

–No me siento preparada para que hablemos de eso –contestó ella.

No quería las soluciones prácticas de Nico, quería su amor. Bajó la vista para que no viera las lágrimas en sus ojos.

–No tenemos que hablarlo ahora –dijo él–. Ya lo haremos en otro momento.

Y continuaron comiendo en silencio.

–Es un amor de niño –le dijo la niñera a Aurora, mientras esta le daba el biberón a Gabriele.

Aurora agradecía la compañía de la amable mujer. Le habría gustado tanto tener a su madre a su lado en esos últimos meses…

–Ese moretón que tiene en la mejilla… –comenzó vacilante la niñera.

–No ha sido Nico –se apresuró a responderle Aurora–; él jamás haría algo así. Lo hizo un hombre para el que estaba trabajando.

De pronto empezaron a rodarle una lágrima tras otra por las mejillas. Últimamente parecía un grifo, pensó azorada, pero había acumulado tanta tensión en los últimos meses…

–Váyase a la cama –le dijo la niñera–. Yo cuidaré del pequeño.

Nico y la niñera tenían razón, pensó Aurora mientras le daba un beso de buenas noches a Gabriele. Necesitaba descansar. Cuando subió al dormitorio le esperaba una sorpresa, y no era solo que Nico hubiera hecho la cama: estaba allí de pie con sus pantalones de pijama negros. Al verlo, Aurora se rio.

–Creía que tenías esos pantalones por si tenían que hospitalizarte.

–Marianna habla demasiado –dijo Nico con una media sonrisa mientras se acostaba.

Aurora se subió también a la cama y durante un rato permanecieron allí tendidos, enfrascados los dos en sus pensamientos, en un silencio tenso. Fue Aurora quien lo rompió.

–Estoy acostumbrada a darle yo las tomas de madrugada a Gabriele. No es que no me fíe de la niñera, pero preferiría hacerlo yo.

–Por mí haz lo que quieras –dijo Nico–. Siempre y cuando no me despiertes…

Aurora se rio, y de repente pensó en lo a gusto que se sentía estando allí en la cama con él.

–¿Te dolió, el parto? –le preguntó Nico.

–¡Un horror! –exclamó ella.

–¿Y no le has dicho a tus padres de quién es el niño?

–No.

–¿Por qué?

–Preferiría no hablar de eso.

–Bueno.

–De hecho, preferiría no hablar de nada.

–Está bien, pues no hables.

Aurora se sintió aliviada de que no la empujase a responder a sus preguntas y que aceptase su negativa a contestarle. Se giró hacia él y apoyó la cabeza en su pecho. La invadió la tentación de deslizar la mano por su estómago, pero antes de sucumbir a ella se dio la vuelta.

A medianoche Nico se despertó acurrucado contra la espalda de Aurora con una erección, así que se dio la vuelta, como había hecho ella, y trató de pensar en cosas aburridas. Era un chiste que hubieran pensando que ninguno de los dos podría dormir. Él quería sexo. Y la mujer con la que quería hacerlo estaba tumbada a su lado y que sabía que estaba despierta, igual que él. Sin embargo, el sexo solo enturbiaría las aguas.

–Nico… –le susurró–. Tenemos que hablar.

Lo había dicho como si él fuera el que se había mostrado reacio a hacerlo, pero Nico se mordió la lengua porque sí, ya iba siendo hora de que hablasen.

—Está bien. ¿Cómo esperas que sean las cosas a partir de ahora? —le preguntó.

—No lo sé.

—Pero lo habrás pensado, ¿no?

—Sí, pero… me siento confundida —le confesó ella. Cuando la mano de Nico buscó la suya, entrelazó sus dedos con los de él y se los apretó suavemente—. Según lo veo yo, tengo dos opciones —se quedó callada un momento e inspiró profundamente antes de continuar—. Verás, desde el momento en que descubrí que estaba embarazada quería decírselo al padre.

A Nico le resultaba raro que hablase de él en tercera persona, pero si eso le hacía más fácil sincerarse, por él no había problema.

—Estaba segura de que se ofrecería a ayudarme con la manutención —prosiguió Aurora—. Pero me preocupaba que sugiriera la otra opción.

Nico permaneció en silencio.

—Que me propusiera que nos casáramos —continuó ella—. Porque, bueno, una vez me había dicho que no quería casarse conmigo, y sentiría que estaba obligándolo a dar ese paso.

—Entiendo.

Fue un «entiendo» amable, que no le daba pista alguna sobre sus sentimientos, más una manera de demostrar que estaba escuchándola que otra cosa.

—Y creo que él se decantará por la segunda opción, aunque no sea lo que quiera. Es un buen hombre y mi familia siente un gran respeto por él. No hay duda de que esperarían que se casase conmigo.

—¿Y tú no quieres eso?

—No. Creo que prefiero la primera opción.

—Entiendo.

—Es que… —murmuró Aurora—, creo que él podría arrepentirse de casarse conmigo. Lo haría porque cree que debe hacer lo correcto, y yo detestaría que lo hiciera por eso. Me parece que sería un terrible error. Vendría a vernos a Silibri de tanto en tanto, quizá los fines de semana, y luego volvería a su vida. Yo tendría un marido y Gabriele un padre, y tendríamos el respeto de la gente del pueblo, pero él tendría su vida en Roma: su enorme casa y… —no fue capaz de terminar la frase.

—¿Y? —la instó Nico.

—Otras mujeres.

Aurora contuvo el aliento mientras él sopesaba sus palabras.

—¿Y a ti eso te parecería bien? —le preguntó Nico.

En la penumbra Aurora no podía ver que estaba sonriendo, ni se dio cuenta de que estaba picándola.

—Por supuesto que no —le espetó.

—¿Quieres a ese hombre?

—Demasiado.

—¿Y crees que él te quiere?

—Si tiene algún tipo de sentimiento hacia mí, me temo que no debe ser muy sólido, no como para durar toda una vida. Por eso prefiero la primera opción.

—Esa opción la tendrás siempre asegurada, pero… ¿qué hay de la segunda opción? —insistió Nico—. ¿Y si ahora sí quiere casarse y formar una familia? ¿Y si ha cambiado de idea?

—Quizá solo lo dice para complacerme. Sé de buena tinta que preferiría una esposa discreta que se mantuviera en un segundo plano.

—¿De buena tinta?

—¡Sí! —exclamó ella—. Porque él mismo me lo dijo. Y yo no puedo ser esa clase de esposa. Podría intentarlo, pero…

—¿Por qué querrías intentar ser alguien que no eres?

—Porque si él hiciera ese esfuerzo por mí, yo debería hacer lo mismo por él.

—¿Y crees que él querría que cambiaras?

—Él quiere a una mujer serena y elegante, quiere paz y tranquilidad —Aurora se volvió hacia él—. Podría intentar ser así.

—No aguantarías ni cinco minutos.

—¿Que no? ¿Quieres que apostemos?

Capítulo 14

¡GABRIELE! Aurora se despertó sobresaltada al ver que el bebé no estaba en su cuna. Nico tampoco estaba a su lado en la cama. Preocupada, bajó corriendo las escaleras. Al oír ruido en la cocina se dirigió allí y encontró a Nico sentado en un taburete con el pequeño en los brazos. Llevaba zapatos, calcetines y pantalones de vestir, pero estaba desnudo de cintura para arriba. Mitad ejecutivo, mitad tentación.

—Me he quedado dormida —dijo—. Nunca me pasa.

—Solo son las siete —replicó él.

—Para mí eso es tarde. Suelo estar en pie a las seis… y a veces a las cinco…

Sabía que estaba divagando, pero tenía que hablar de cosas triviales porque el ver a Nico medio desnudo a esa hora de la mañana era demasiado para ella.

—Hay que darle el biberón a Gabriele —dijo, extendiendo los brazos para que le pasase al pequeño.

—Acabo de dárselo —respondió Nico—. Por eso estoy sin camisa, porque me ha vomitado encima. La niñera ha ido a buscarme otra.

—Pero habrá que cambiar a Gabriele —dijo Aurora, tendiéndole los brazos de nuevo para que le diera al bebé.

—Ya está cambiado —contestó él.

—¿También lo has cambiado tú? —inquirió ella, sorprendida.

—No, eso se lo he dejado a la niñera —admitió él con una sonrisa—. Bueno, debería irme ya.

—¿Adónde? —inquirió Aurora.

—¿Dónde crees tú?

—¿No puede esperar el trabajo, Nico? Tenemos muchas cosas de que hablar y... —Aurora no terminó la frase. ¿No se había propuesto intentar ser la esposa perfecta—. ¿A qué hora...? —tragó saliva. No, la esposa perfecta no le preguntaría a qué hora regresaría—. Estaba pensando que podía cocinar.

—No hace falta; para eso tengo una empleada de hogar —respondió Nico, mientras buscaba su teléfono. Estaba tan distraído que se olvidó por completo de que su empleada de hogar estaba de vacaciones—. Además, tienes que ir de compras; necesitas ropa.

—No tengo tiempo para eso; tengo un hijo del que cuidar.

—Y un marido al que complacer, ¿no? —la picó él—. Ahora en serio: has estado cuidando sola de nuestro hijo durante dos meses, así que el día de hoy es para ti. Ve a las boutiques del hotel, y si quieres pásate también por el salón de belleza; les diré que vas a ir para que me carguen a mí los gastos.

—Pero no puedo...

—Aurora, no vuelvas a decir eso; no tendrás que decirlo nunca más.

No estaba diciéndoselo con la ternura que ella necesitaba de él esa mañana. No estaba abrazándola y diciéndole que la pesadilla de un mundo sin él se había terminado; básicamente estaba diciéndole que no tenía que preocuparse por el dinero.

No podía soportar la idea de pasar el día sin él, sin saber qué pensaba de todo aquello, de los temores que había compartido con él la noche anterior.

—A lo mejor podría ir a buscarte para almorzar juntos —le sugirió.

—No —replicó él, sacudiendo la cabeza—. Necesitas tiempo para ti. Además, de todos modos, hoy estoy muy liado —miró su reloj—. Y debería irme ya...

Finalmente le tendió a Gabriele. Por un momento creyó que iba a besarla, pero en vez de eso se apartó, y se volvió hacia la niñera, que entraba en ese momento con otra camisa. Se la abrochó apresuradamente, se puso la chaqueta y se marchó.

¿Qué había hecho?, se preguntó Aurora consternada. Había llevado el caos a la vida de Nico, un hombre al que le gustaba el orden y la calma. Pero ella se los devolvería, se dijo. Esa noche, cuando regresara a casa, todo sería distinto.

Aquello estaba empezando a gustarle, pensó Aurora cuando llegó a casa a las cuatro, con un recogido increíble, maquillada, peinada y con varias bolsas de ropa.

—¡Qué guapa! —exclamó la niñera, que le había abierto la puerta.

—Gracias —respondió ella con una sonrisa—. Y verá cuando me ponga para la cena un vestido que he... —al pasar por el comedor y ver que los platos y las copas de la noche anterior seguían sobre la mesa—.

¿Pero dónde está la empleada de hogar? ¿Cómo es que está esto así?

–No lo sé, señora; aquí no ha venido nadie.

–Pero… ¿y la cena? –inquirió Aurora–. Madre mía… Y la cama está sin hacer y el dormitorio todo desordenado…

Miró a la niñera, suplicándole ayuda, pero esta levantó las manos y dijo con una sonrisa:

–Lo siento, pero no hago tareas del hogar; de ningún tipo.

«Es igual», se dijo Aurora. «Que no cunda el pánico». Subió al piso de arriba, hizo la cama y arregló el dormitorio, bajó, recogió la mesa y fue a la cocina para ver qué había en el frigorífico y la despensa para improvisar una cena.

Por suerte Nico aún guardaba el bote de salsa de tomate casera de su madre que le había llevado hacía meses. Lo bueno de la *passatta* era que podía aguantar perfectamente todo ese tiempo y más. Preparó una ensalada bien variada y también el aliño, aunque no se lo echaría hasta el último momento para que la lechuga no se pusiese mustia. Los tallarines los tuvo hechos en unos minutos, los coló, y puso la salsa a calentar a fuego muy suave.

Mientras cocinaba la niñera bañó a Gabriele, y en ese momento lo trajo cambiado, como le había pedido.

–Mírate, qué guapo estás… –dijo Aurora, sonriendo, al tomarlo en brazos. Tenía puesto un pijamita azul y olía muy bien–. Papá llegará pronto y…

No terminó la frase. Nico se había marchado esa mañana poco después de las siete y ya había oscurecido. No le había mandado ni un mensaje de texto, y mucho menos se le había ocurrido llamar. Puso el bebé en brazos de la niñera, se quitó el delantal y subió a ponerse el elegante vestido gris que había comprado para esa noche. Se retocó un poco los labios con la barra de carmín y volvió abajo.

Se sentó en el salón a esperar con su pequeño en brazos y en compañía de la niñera. Pero los minutos pasaban y Nico seguía sin aparecer. Gabriele se revolvió en sus brazos y se frotó los ojos con los puños.

—Está cansado —dijo la niñera.

—No, está bien —replicó Aurora.

Quería que cuando llegara Nico la encontrase a ella deslumbrante y a su bebé, adorable y limpito.

—¿Por qué no me deja que lo lleve a su cuna? —le preguntó la niñera, casi una hora después. Estaba claro que Gabriele necesitaba dormir—. Así podrán cenar los dos a solas y relajarse cuando venga el señor Caruso.

Aurora sabía que tenía razón, y finalmente le tendió el bebé. Cuando la niñera se hubo ido arriba con él, decidió llamar a Nico, pero por supuesto tenía el móvil apagado. Llamó al hotel, y al cabo de un rato le pasaron con Marianna.

—Nico no está aquí, Aurora —le dijo.

—¿Sabes a qué hora se ha ido?

—No, es que hoy no ha venido por aquí.

Aurora le pidió disculpas por las molestias y colgó. Irritada, se quitó los zapatos nuevos que se había puesto; le dolían los pies. Además, estaba muerta de hambre, así que fue a la cocina y se sirvió un plato de tallarines. ¡Maldito Nico!, pensó, sintiendo deseos de estrellar el plato contra la pared.

Le había dicho que lo amaba, había compartido

sus temores con él... ¿Y cuál había sido su respuesta? Se había quedado callado, como siempre. Apoyó las manos en la encimera y los ojos se le llenaron de lágrimas por lo deprimente que era su vida: enamorada de un hombre que no la correspondía, y que ni siquiera la llamaba para decirle que iba a llegar tarde.

Tal vez estuviese con otra mujer. Tal vez estuviese diciéndole que no podían seguir viéndose porque acababa de descubrir que tenía un hijo. Tal vez estuviesen haciendo el amor una última vez para despedirse...

—¡Te odio, Nico Caruso! —gimió.

—Vaya, muchas gracias.

Al oír la voz de Nico detrás de ella se volvió y lo encontró plantado en la entrada de la cocina, con la chaqueta en la mano y la corbata aflojada.

—¿Dónde estabas? —exigió saber—. Marianna me ha dicho que hoy no has ido a trabajar.

—Cuando te calmes te lo diré.

—No me digas que me calme. Ahora tienes un hijo; tienes responsabilidades... —le espetó ella. No podía parar, y grandes lágrimas de ira le rodaban por las mejillas—. ¡Anoche te dije que te quería! Te confesé mis temores y tú no dijiste nada. ¡Nunca te lo perdonaré! —lo increpó, yendo hacia él.

—¿Nunca? —la picó él.

—¡Nunca! ¡Jamás! —reiteró ella, clavándole el índice en el pecho.

Lo que no se esperaba era que Nico la atrajera hacia sí y la besara apasionadamente.

—No te atrevas a besarme para que no hable —lo increpó—. Quiero un marido fiel, que no me mienta diciendo que se va a trabajar cuando...

Nico la sorprendió de nuevo agarrándola por la cintura y cargándola sobre su hombro, como si fuera un fardo.

–Creía que querías un marido que al llegar a casa encontrase todo hecho un desastre y que te diera unos azotes.

–¡Ni se te ocurra! ¡Bájame! –protestó ella, pataleando.

Él hizo lo que le pedía, pero muy lentamente, dejando que se deslizase contra su pecho hasta depositarla en el suelo. Y entonces no la soltó, sino que la retuvo entre sus brazos.

–Menos mal –dijo–, porque yo jamás le daría eso a una mujer. Y menos a la mujer a la que amo.

Aurora resopló.

–¿A la mujer a la que amas? ¿Le has dicho eso también a la pelirroja esa de las fotos de las revistas? ¿Y a la rubia?

Nico tuvo la desfachatez de reírse.

–No tiene gracia –le increpó molesta–. ¿Cómo has podido…?

–Pero si no he hecho nada –replicó él.

–Y no me digas que me quieres si no lo dices de verdad –le suplicó ella.

–Pues claro que lo digo de verdad –contestó Nico. Le puso las manos en las mejillas y le secó las lágrimas con los pulgares antes de levantarle la cara para que lo mirase–. Te quiero, Aurora, y en cuanto a lo que dijiste anoche, te equivocabas: lo que siento por ti no es algo pasajero, y sí es algo que puede durar toda la vida. Llevaba años intentando convencerme de que no quería casarme, que no quería una familia, pero me he dado cuenta de que era mentira. Siempre me preguntaba si era el deber o un sentimiento de culpa lo que me hacía volver a Silibri año tras año, pero no era ninguna de las dos cosas; era mi amor por ti.

La aupó para sentarla en la encimera de granito y se quedó mirándola a los ojos antes de asaltar sus labios. La besó con tal fruición que parecía como si estuviese sediento de ella, como si la necesitase tanto como el aire que respiraba.

Ella respondió al beso y luego lo besó en las mejillas, en los ojos, en el cuello... Intentó desabrocharle la camisa, pero no atinaba con los botones y bajó las manos a sus pantalones, pero Nico ya se había encargado de eso. Tenía una erección tremenda, y sus manos impacientes estaban rasgándole las braguitas mientras la reprendía entre dientes por haberse puesto ropa interior cuando no podía esperar para hacerla suya.

–¿Es demasiado pronto? –le preguntó jadeante–. Después de haber dado a luz, quiero decir.

Estaba intentando controlarse, a pesar de que sus dedos ya estaban comprobando lo húmeda y dispuesta que estaba.

–No. Has tardado demasiado –gimió ella.

Nico ya no esperó más y la penetró antes de sacarle el vestido por la cabeza y quitarle el sujetador, dejando al descubierto sus pechos. Aquel Nico le recordó a Aurora al que le había hecho por primera vez el amor, un Nico salvaje, desatado. Era justo lo que ella necesitaba esa noche: quería sentir toda su fuerza, toda su pasión.

–En todo este tiempo no he dejado de desearte... –murmuró Aurora, mientras Nico le hincaba los dedos en las caderas y empezaba a moverse.

Era como si la sangre en sus venas se hubiese tornado en burbujeante champán; como si cada vez que hacían el amor Nico le descubriese nuevas sensaciones que jamás había imaginado.

—¡Aurora! —jadeó él con voz ronca.

Ella le rodeó la cintura con las piernas y lo estrechó con fuerza entre ellas al tiempo que hundía el rostro en su cuello para inhalar su aroma. No quería que aquel instante acabara, pero estaba llegando al límite. Las frustraciones del día se agolparon en su interior y se encontró sollozando entre gemidos de placer porque no sabía qué hacer con todo el amor que sentía por Nico.

Se entregó a él y alcanzaron juntos el clímax. Permanecieron abrazados, sudorosos y jadeantes un momento antes de que Nico la ayudara a bajar al suelo y se subiera la cremallera de los pantalones. Se guardó las braguitas destrozadas y el sujetador en el bolsillo, para que la niñera no se los encontrara.

Como estaban los dos hambrientos, calentaron la salsa, le echaron un poco al plato de tallarines que Aurora se había servido y se los comieron entre los dos.

—Tu padre tenía razón —dijo Nico mientras masticaba.

—No me hablo con él —masculló Aurora.

—Lo sé, pero hay una cosa en la que tenía razón —dijo Nico, limpiándole de la barbilla una salpicadura de salsa—: Dame un plato de buena comida y la compañía de los míos y habrá sido un buen día. ¿Qué más podría desear?

Capítulo 15

NICO la llevó a la cama y se quedaron allí tumbados, ella con la cabeza en el pecho de él, mientras los dedos de Nico jugaban distraídamente con su cabello. Aurora, que tenía aún muchas preguntas, no pudo contenerse y le hizo la más importante.

—¿Dónde has estado todo el día? —le preguntó, alzando la vista para mirarlo a los ojos—. Y hasta tan tarde, además.

—¿Dónde piensas tú que he estado?

—No creo que quieras saberlo.

—Está bien: ¿dónde crees que va un hombre cuando aparece el amor de su vida?

A Aurora el corazón le dio un vuelco.

—He ido a Silibri, a hablar con tu padre.

—¿Le has dicho que Gabriele es tuyo?

—Pues claro —respondió Nico, y se quedó callado un momento.

Le había costado un esfuerzo tremendo contenerse para no increpar duramente a Bruno y a su esposa por cómo la habían tratado. Se le hacía insoportable pensar en lo que le habían hecho pasar a su hija cuando más los había necesitado. Pero pronto serían familia, y eso era lo que había tratado de recordarse.

—¿Y qué dijo?

—Rugió y bramó —dijo Nico.

—¿Y mi madre?

Nico advirtió un tono de angustia en la voz de Aurora.

—Me preguntó cómo estabas y empezó a llorar. También me preguntó por Gabriele.

—Si quería saber cómo estábamos solo tenía que llamarme —contestó ella, enfadada.

—Y tu padre… bueno, siempre me había preguntado por qué no dejó de hablarme cuando me negué a casarme contigo —le confesó Nico.

—Yo también —dijo Aurora—. Pensaba que no querría que volvieras a poner los pies en nuestra casa.

—Me dijo que para él no sería una ofensa a menos que me casara con otra persona, pero que si lo hubiera hecho no habría respondido de sus actos —añadió Nico, sonriendo cuando Aurora se rio—. Y me dijo que la noche que te fuiste al cumpleaños de Antonietta se notaba, según palabras suyas, que se me llevaban los demonios.

—Espero que no sepa lo que pasó en el sofá.

—Pues claro que no. Si no, yo estaría muerto —replicó Nico—. ¿Y sabes qué? Sacó esa botella de vino que llevaba reservando todo este tiempo.

—¿Le dijiste que ibas a casarte conmigo?

—No, le dije que quería, más que nada en el mundo, casarme contigo, pero que antes teníamos que hablar unas cuantas cosas.

—Nico, no quiero que cometas un error —le dijo Aurora—. No soy una persona de medias tintas.

—Lo sé.

—No me conformaría con un matrimonio por obligación, con algo tibio.

—No será algo tibio —replicó él con firmeza—. Tendrás todo mi amor.

Eso era lo único que quería, lo que siempre había soñado, pero no se atrevía a creerlo. Las dudas habían echado raíces en su corazón. Al oír a Gabriele llorando se preguntó una vez más si Nico no estaría haciendo todo aquello solo por su hijo.

—Tengo que ir con él —murmuró.

Cuando llegó al cuarto que ocupaba el pequeño, la niñera estaba sentada en la mecedora dándole el biberón. Gabriele ya se había tomado casi la mitad.

—Deje, ya acabo yo de dárselo —le dijo Aurora a la mujer—, y luego volveré a acostarlo.

La niñera asintió con una sonrisa amable, se levantó para poner al bebé en sus brazos y se retiró a su habitación.

¡Cuánto había crecido su pequeño!, pensó Aurora, mientras se sentaba en la mecedora y continuaba dándole el biberón.

—Tu padre es el hombre más complicado que he conocido —le susurró. Se quedó mirando a su bebé largo rato, admirando los deditos que asían los suyos mientras lo alimentaba, sus espesas pestañas, el hoyuelo en la barbilla…—. Yo lo quiero, y creo que él también me quiere a mí —murmuró—. No tanto como yo lo quiero a él, pero, ¿sabes?, creo que está haciendo un esfuerzo por que lleguemos a ser una familia de verdad —añadió, y los ojos se le llenaron de lágrimas.

Sabía que ocho años de rechazo no podían borrarse

de un plumazo en una noche. Después de que Gabriele se terminara el biberón, esperó a que echara los gases y volvió a acostarlo.

Cuando Aurora volvió al dormitorio, Nico se dio cuenta de que había llorado y se sintió mal por haberla hecho sufrir tanto tiempo mostrándose frío y distante con ella.

—Nos construiremos una casa en Silibri —le dijo cuando volvió a meterse en la cama.

—Y tú nos dejarás allí y te volverás a Roma…

—No —replicó él—: los tres volveremos a Roma, pero tendremos nuestro «campamento base» en Silibri.

—No.

Su enfática negativa los sorprendió a ambos. Lo había dicho sin vacilar, aunque nunca se había atrevido a pensar en un hipotético futuro con Nico. Amaba Silibri con toda su alma y tenía muchos buenos recuerdos del pueblo, pero este también albergaba recuerdos dolorosos del pasado para Nico, y otros mucho más recientes para ella, como el que sus padres le hubiesen dado la espalda cuando más los había necesitado.

—No, quiero que vivamos aquí, Nico —le dijo—. Quiero dormir en la cama en la que concebimos a nuestro hijo, y quiero despertarme y ver el parque de la Villa Borghese por la ventana.

—¿Estás segura?

—Muy segura —asintió ella, y después de reflexionar un momento añadió—: Pero iremos de visita a menudo a Silibri. Y por supuesto sigo queriendo organizar las bodas que se vayan a celebrar en las ruinas del templo –le dijo con una sonrisa pícara.

–No te das por vencida, ¿eh?

–Jamás –dijo ella–. Y menos cuando sé que tengo razón.

Había intentado dejar de amar a Nico tantas veces, de dejarlo ir… Pensó en las lágrimas que había derramado, en la moneda que había lanzado a la Fontana di Trevi, y en el deseo que había formulado al hacerlo, de que Nico le hiciera el amor allí, en Roma.

–Quiero ese puesto –le dijo.

–Entonces lo tendrás.

–Pero no quiero que me lo des como un favor especial –replicó ella–. Lo quiero porque soy la mejor para ese puesto, y voy a demostrártelo.

Igual que le demostraría que era la mujer que necesitaba.

Capítulo 16

EN VEZ de un elegante recogido, Aurora había optado por llevar el pelo suelto el día de la boda. El maquillaje que iba a llevar era bastante sutil, pero le pidió a la estilista que no se cortase con el lápiz de ojos.

–Todavía no –le dijo esta–. Hay alguien que quiere darte una sorpresa… ¡y no quiero que te emociones y se te estropee el maquillaje!

–¿Qué?

Y entonces, de repente, entró Antonietta en el salón de belleza.

–No vayas a llorar –le advirtió su amiga antes de abrazarla.

A Aurora le costó contenerse, porque hacía cuatro largos años que no se veían.

–¡Pensé que no podrías venir! –exclamó.

–¿Cómo iba a perderme tu boda?

–¿Cuándo has llegado?, ¿se ha enterado tu familia de que estás aquí?

–No te preocupes ahora por eso –le dijo Antonietta–. Tienes que acabar de prepararte. Yo me voy a las ruinas del templo antes de que me quiten el sitio, pero quería darte un abrazo y desearte todo lo mejor.

Ah, por si no puedo quedarme a la fiesta después de la ceremonia… toma –dijo tendiéndole una medallita de plata–. Es para que la lleves hoy.

La medalla tenía una inscripción en francés: «*bonheur*».

–Significa «felicidad» –le explicó su amiga–. Es lo que te deseo, que seas muy feliz.

–La llevaré siempre conmigo –le dijo Aurora–. Y yo te deseo lo mismo a ti –añadió con los ojos brillantes por las lágrimas que estaba conteniendo a duras penas–. Pronto volveremos a vernos y nos pondremos al día. Aunque tenga que ir a Francia a visitarte.

–Pues vas a tener que venir de verdad –le dijo Antonietta–, porque como sabes yo aquí ya no soy bienvenida. ¡Venga, acaba de prepararte! Tu Nico estará impaciente…

–Es mi corazón el que está impaciente –murmuró Aurora–. Esto solo te lo diré a ti, que eres mi mejor amiga: creo que casi me quiere. Y que será el mejor padre del mundo. Dice que estoy loca por dudar de él y que…

–Es que lo estás –la cortó Antonietta–: Nico te quiere. ¿Por qué no lo aceptas y ya está?

Era una buena pregunta.

–¡Qué guapa estás, hija! –exclamó el padre de Aurora con una sonrisa de oreja a oreja al verla–. Este es el mejor día de mi vida. Siempre supe que Nico era el hombre adecuado para ti.

Sería tan fácil aferrarse a su resentimiento hacia su madre y hacia él, pensó ella. Pero sus padres se ha-

bían volcado con Gabriele desde que habían llegado a
Silibri. El perdón no era siempre el camino más fácil,
pero, como le había dicho Nico, no merecía la pena
que siguiera enfadada con sus padres. No había mejor
ejemplo que él, que a pesar de las palizas de su padre
había vuelto a levantarse y lo había perdonado. Por
eso, en vez de echarle en cara a su padre el daño que
le habían hecho, esbozó una sonrisa y asintió.

—Es verdad, papá, siempre lo has dicho.

Era mejor mostrarse amable en ese día, era más
fácil dejarse llevar por la felicidad que la inundaba.
Sonrió de nuevo cuando vio a Nadia y a Antonio llegar corriendo y riéndose con sendos ramilletes de
flores silvestres; las mismas de las que estaba hecho
el ramo que ella llevaría de camino al altar.

Nico había invitado a Luana y a los niños a la
boda, y los pequeños iban a ser sus pajes en la ceremonia. Mientras avanzaba, con ellos precediéndola y
del brazo de su padre, hacia las ruinas del templo, los
rescoldos de resentimiento que quedaban en su interior se apagaron por completo, porque no había nada
más hermoso, ni que proporcionase tanta paz como la
vista de aquel lugar al atardecer.

Pino le dio un codazo a Nico, aunque no hacía
falta, para avisarle de que la novia ya estaba llegando.
El vestido de Aurora era de un blanco radiante, y parecía una diosa caminando hacia él.

—Aurora y Nico —dijo el celebrante, cuando comenzó la ceremonia—, hoy estamos aquí, en estas an-
tiguas ruinas, para celebrar vuestro amor, un amor
que no tiene fin.

No tendría fin… y tampoco había tenido un principio definido, porque ninguno de los dos sabría decir el momento exacto en que había comenzado. Tal vez cuando, de niña, ella le abría la puerta y lo picaba con un «hola, marido». O tal vez el día que él le había dicho que nunca se casaría con ella, y había hecho como que no había visto las lágrimas en sus ojos. Quizá aquella noche que lo habían hecho en el sofá. O tal vez la noche en que habían concebido a Gabriele. Quizá siempre había estado ahí.

Fue Nico quien respondió a esa pregunta cuando le puso el anillo en el dedo:

—Siempre te he querido.

Al principio como a una hermana. Durante un tiempo habían sido un fracaso como amigos, pero ahora volvían a serlo, y eran más que eso, eran compañeros de cama, y también padres.

—Y siempre te querré —añadió Nico, mirándose en los oscuros ojos de Aurora.

Entonces le tocó el turno a ella. Le puso el anillo en el dedo y le dijo:

—Yo intenté con todas mis fuerzas no quererte, y ahora por fin puedo dejar de luchar contra mis sentimientos. Te quiero, Nico.

Cuando el sacerdote los declaró marido y mujer, Aurora sonrió, llena de dicha, y Nico la besó.

Nico no era una persona muy sociable, y Aurora no esperaba una fiesta salvaje, pero de vuelta en el hotel el champán fluyó mientras recibían las felicitaciones de todos los invitados, y Nico bailó con ella. ¡Bailó! Y para su sorpresa no de un modo torpe, sino bastante desenvuelto, con unos giros y unos movimientos inesperados.

—¿Dónde has aprendido a bailar así? —le preguntó riéndose.

—Vincenzo me enseñó unos cuantos pasos esta mañana.

—¡No!

—Lo creas o no, sí —respondió él, riéndose también.

Aquel era un Nico al que jamás había visto: divertido, desinhibido... Y tan sexy que estaba impaciente por disfrutar de su noche de bodas con él. Un par de horas después, por fin, Nico los excusó, diciendo que ella estaba cansada, les dio las gracias a todos y les pidió que continuaran con la fiesta.

Aurora le dio un beso a su hijo, que estaba en brazos de su madre, comportándose como un ángel, y que pasaría esa noche en casa de sus padres. Nico la condujo al piso de arriba, y cuando ella iba a atravesar el claustro la detuvo.

—¿No vamos a pasar la noche en la Suite del Templo? —le preguntó ella contrariada.

—No. Por si lo has olvidado, ya estamos de luna de miel —dijo guiñándole un ojo.

Aquello sí que no se lo había esperado Aurora. Aunque había estado presente durante las obras, prácticamente había hecho como si no existiera la Suite Luna de Miel, quizá por despecho, porque era para recién casados y había estado convencida de que nunca se casaría con Nico.

Cuando entraron se quedó sin aliento. La había visto de día, pero no de noche. Era espectacular, con una cúpula de cristal a través de la cual se veía el cielo estrellado.

—Es precioso... —murmuró.

—¿Sabías que en el balcón hay unas escaleras que bajan a una playa privada? —le dijo Nico.

—Pues claro que lo sé; fui yo quien escribió el folleto del hotel… —lo picó ella. Pero no podía negar que estaba deslumbrada. Aquella suite era pura magia—. Esta suite debería llamarse Noche Estrellada.

—Pues hay más sorpresas; tengo un regalo para ti.

Aurora frunció el ceño al verlo ir hasta una mesita donde había una cubitera con una botella de champán. Tomó una bolsita de cuero que estaba al lado, volvió junto a ella y se la entregó. Aurora la abrió y al vaciarla en su palma cayó un manojo de llaves viejas. Una de ellas, grande y pesada, que le resultaba familiar. Miró a Nico contrariada.

—Son las llaves de la casa de tu abuela, la que tus padres reservaban para cuando nos casáramos —le dijo Nico—. Les compré la casa hace unos meses, a través de una tercera persona para que tu padre no supiera que el comprador era yo.

—Pero… una vez dijiste que no se te ocurría nada peor que vivir enfrente de mis padres.

—Y lo sigo pensando —le confesó Nico—, pero cuando vengamos de vacaciones, como en Navidad, por ejemplo, no tendremos que quedarnos en casa de tus padres; no tendremos más que cruzar la calle para tener un poco de intimidad.

Y las pocas dudas que le quedaban a Aurora se disiparon cuando los labios de Nico tomaron los suyos con el más dulce de los besos.

—Mañana —le dijo mientras le quitaba el vestido y la ropa interior— bajaremos a la playa y te haré mía en el agua.

–¿Y por qué no ahora? –replicó ella.

La atraía la idea de darse un baño desnuda, pero Nico ya estaba tumbándola en la cama.

–No, no, no… –dijo él, separándole las piernas, listo para hundirse en ella–. Esta noche lo único que debes hacer es mirar las estrellas.

Acepte 2 de nuestras mejores novelas de amor GRATIS

¡Y reciba un regalo sorpresa!

Oferta especial de tiempo limitado

Rellene el cupón y envíelo a
Harlequin Reader Service®
3010 Walden Ave.
P.O. Box 1867
Buffalo, N.Y. 14240-1867

¡Sí! Por favor, envíenme 2 novelas de amor de Harlequin (1 Bianca® y 1 Deseo®) gratis, más el regalo sorpresa. Luego remítanme 4 novelas nuevas todos los meses, las cuales recibiré mucho antes de que aparezcan en librerías, y factúrenme al bajo precio de $3,24 cada una, más $0,25 por envío e impuesto de ventas, si corresponde*. Este es el precio total, y es un ahorro de casi el 20% sobre el precio de portada. !Una oferta excelente! Entiendo que el hecho de aceptar estos libros y el regalo no me obliga en forma alguna a la compra de libros adicionales. Y también que puedo devolver cualquier envío y cancelar en cualquier momento. Aún si decido no comprar ningún otro libro de Harlequin, los 2 libros gratis y el regalo sorpresa son míos para siempre.

416 LBN DU7N

Nombre y apellido	(Por favor, letra de molde)
Dirección	Apartamento No.
Ciudad	Estado · Zona postal

Esta oferta se limita a un pedido por hogar y no está disponible para los subscriptores actuales de Deseo® y Bianca®.
*Los términos y precios quedan sujetos a cambios sin aviso previo.
Impuestos de ventas aplican en N.Y.

SPN-03 ©2003 Harlequin Enterprises Limited

DESEO

Sexo, mentiras y… unas consecuencias
que serían para toda la vida

Una noche y
dos secretos

KATHERINE
GARBERA

La heredera Scarlet O´Malley no quería saber nada de compromisos, pero cuando después de una noche de sexo inesperado descubrió que estaba embarazada, decidió ir en busca del padre de su futuro hijo. Lo que Scarlet no sabía era que Alec Velasquez se había hecho pasar aquella noche por su hermano gemelo. Aún más sorprendente fue que cuando supo la verdad y volvió a encontrarse con Alec seguía ansiando sus caricias. ¿Tendría que replantearse su decisión de no enamorarse jamás?

Bianca

Tendría que pagar a su captor con su inocencia

PRISIONERA DEL CONDE

Sara Craven

Maddie Lang llevaba una existencia tranquila. Se había criado en un pequeño pueblo de Inglaterra, por lo que no esperaba que en un viaje a Italia por motivos de trabajo terminara convirtiéndose en la prisionera del atractivo conde Valieri.

Encerrándola en su lujosa casa, el conde esperaba poder vengar a su familia. Por mucho que Maddie deseaba evitar que su traidor cuerpo despertara, las hábiles caricias del conde hicieron saltar las primeras chispas de lo que podría convertirse en las llamas de una peligrosa adicción...